FEU №1

Juin, 2023

TABLE

6 —— JE SUIS ALLERGIQUE À LA PLANÈTE | Jean-Pierre Duprey
僕はこの惑星にアレルギーがある
ジャン＝ピエール・デュプレー
宮脇諒［抄訳］

19 —— 濱岡美咲

24 —— **フラッシュバルブ** 吉田棒一

32 —— 金村修

48 —— 小松浩子

60 —— **久美のため息** 中原昌也

67 —— **名医の落とし子** 矢田真麻

75 —— **「坂」の詩学** 三田洋

83 —— DAS GESPENST DER JUDENSTADT | Paul Leppin
ユダヤ人街の幽霊 ｜ パウル・レッピン
川本奈七星［訳］

88 —— IN THE NAKED BED, IN PLATO'S CAVE
ALL NIGHT, ALL NIGHT | Delmore Schwartz
デルモア・シュワルツ 詩二篇＋解題
五井健太郎［訳・文］

101 —— ЭЛЕГИЯ | МНЕ ЖАЛКО ЧТО Я НЕ ЗВЕРЬ | ЗНАЧЕНИЕ МОРЯ
КОНЧИНА МОРЯ | Александр Введенский
挽歌ほか ｜ アレクサンドル・ヴヴェヂェンスキィ
東海晃久［訳］

115 —— **啓蒙のパラドクス―埴谷雄高『死霊』における人工妊娠中絶と革命**
石川義正

142 —— CAHIERS, XXV, 618 - 619 | Paul Valéry
あるいは、わたしの回想 ｜ ポール・ヴァレリー
栗原弓弦［訳］

146 —— CAHIERS D'IVRY | Antonin Artaud
アントナン・アルトー『イヴリーの手帖』との対峙
原智広［抄訳・文］

•

［装画］kahjooe

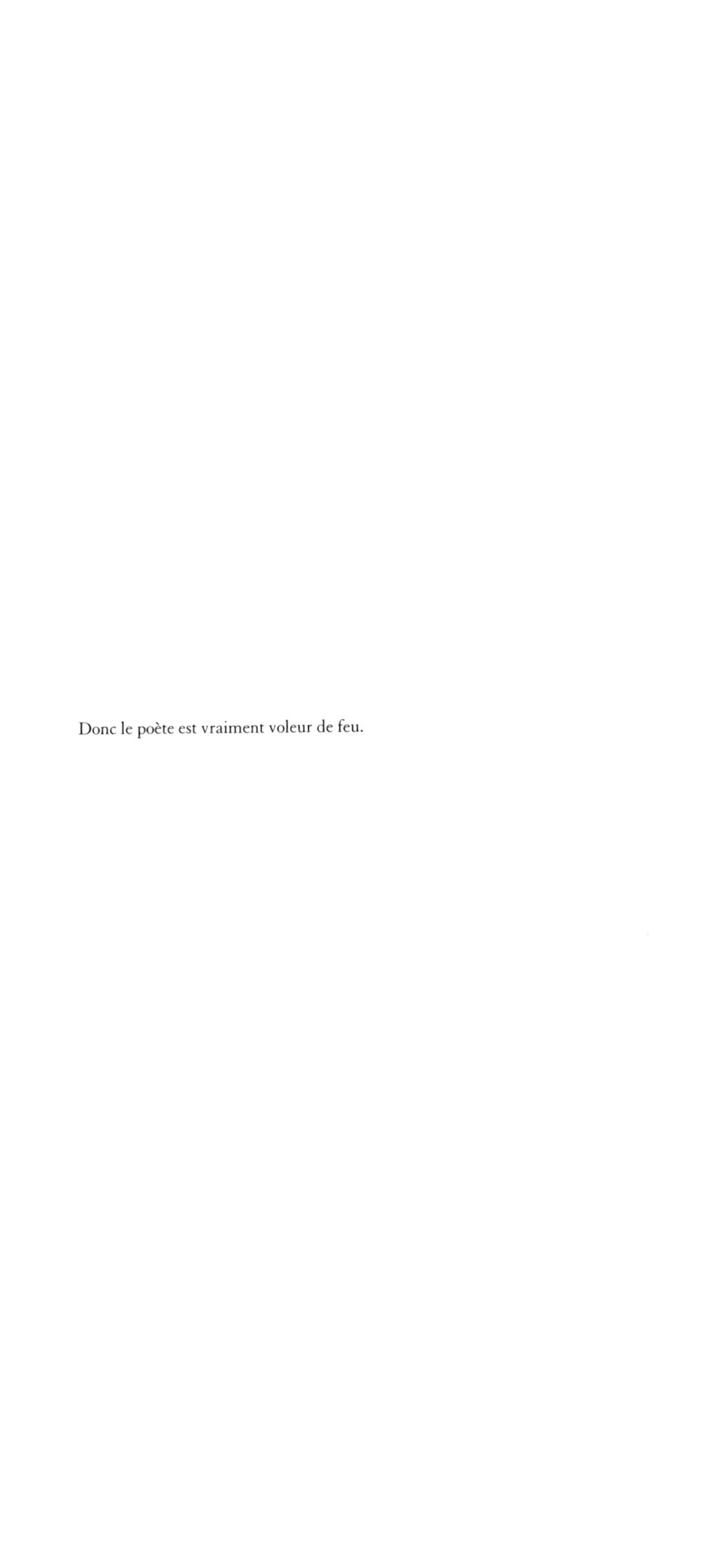

Donc le poète est vraiment voleur de feu.

僕はこの惑星にアレルギーがある

ジャン＝ピエール・デュプレー

JE SUIS ALLERGIQUE À LA PLANÈTE
Jean-Pierre Duprey

宮脇諒［抄訳］

顔を歪めて ― À LA GRIMACE

［……］現実と馴れ合うには巨大な権力を要する。

私は、私は、決してこの銀河に足を踏み入れるべきではなかった。

仲介者 ― MÉDIATEUR

I

ランボーに

夕暮れ私は永遠の道連れである君と会った。その手には拷問器具の残酷を、響き渡るバイオリンの胸には、反乱する部族の絶叫を秘めていた。世界の全ての船の揺れがその目にはあった。

今夜墓のように、君に私を刻みつける。そして我々は突飛な花の旅を夢見るだけになる。

II

[……]

乞食の道連れはギターを持って歩き、走り書きの詩で現実に穴を開ける。ランボーが絶望の風呂からびしょ濡れで現れる時、美に匹敵するものは何も無い。

III

優雅な路上の預言者、君を慕い私は追う。今砂利に寝そべり腕を組んで夢を見る頭は重い。君が残した誰も見たことの無い景色を見たいと願う。草花の茎ごとに宮殿は生まれ枝々には鳥が生まれるが、君が追いかける砂漠の光景に勝るものは何も無い。

[……]

VI

私の統治が始まる今日、私は石器時代へ、石で作った武器へと還る。狼の叫びに交じる人間の叫び、力ずくで捕らえられた女の溜息。喘鳴、臨終、ライオンの爪の下での〈純粋な〉死へと還る。私は海の表面ではなくその底を穴を化物を幽霊を見る者の一人である。

私は地平線へと視線を投げやった者の一人である。

三つの火、一本の塔 — TROIS FEUX ET UNE TOUR

I

（イラクサの野原に人間＝植物たち、そして何処かには、何倍にも肥大化したアグ娘の〈目〉、地球には存在し得ない球体のように円みを帯びた〈目〉）

——ひとこと。

——はい。

——太陽が乾涸びた海で跳ねる。岩が磨かれてはいない二つの目を擦る。月で眠る二匹の犬は三つの金の目と戯れ、その目は入れ歯に変わっていく……でもお前には、お前の話をさせてくれ。

——ひとことで言って。君の心臓という器官の内部で、世界が高速で回転していると。ねえお願い、言って。

——お前は凍った涙のレンガで出来た城に住んでいた。

——さあ、どうだか。［……］理性が痛い。［……］僕を見て……もう、そんな死んだ魚みたいな目をして！

——私のなかには沢山の海がある。この二つの目の後ろにはポケットがあって、予備の眼球が二つ。でも気をつけないと……私は急流で……お前を連れ去ってしまう。

——もうどこかに連れ去られてしまったんだ！

——お前に言わないと、だから、お前は誰で、何処にいるのか。お前は私の存在の奥深くに住んでいる。我が幽霊の思考の横溢［……］お前の人格とはその身体。その人格は私の上着の襟に、留め金のようにナイフで刺さっている。お前には私が見えるか。

——僕には自分が鏡のなかにいるのが見える。

——お前には私が見えるか。お前を迷わせるように導く光が見えるか。

——錯乱したような三つの火が見える。ねえ、あれはなぜ燃えるの。教えて。［……］教えてよ、僕たちについて。僕たちは二重の意味を持った〈一つ〉なの？

——私達は火と水の統合、犯罪と証拠の統合、死と名前の統合、空家と空き巣の統合。我が闇と畏怖、それからお前の光と眠りとを縒り合わせ、二人で二重の鎖をなす。我々は互いにはほとんど触れ合えない。そしてこの〈二人〉は静脈の迷路で死ぬ。一人はもう一人の短い血の寿命に続いて。

……私は自分の平衡を保つためにお前を作ったのだった。

——僕たちとは君です。ねえ、僕は生きている！僕は生きる……

・・・・・・・・・・・・・・・・・・・・・・・・・・・・・・・・・・・

（行ったり来たりして）

——私達は存在していなかった時、楽しく生きていた。

——つまり世界は、僕らと平行した存在なの？

——私は世界ではないのか。

——僕をちゃんと見て。君が僕を見るということは、つまり、僕が僕を見るということ。［……］僕が言うことを僕は言う。それで言ったら、僕は言う。「僕は全てを言った」。

［……］

（タラメードとキクリ＝キラは時間の外部に存在する）

＝

キクリ＝キラ——終焉？ そんなもの存在しない。しかし俺を説明する事が出来るのは、このたった一つの言葉だけなのか。死という言葉すら疑わしい。こんなに、こんなにも！

例えば終焉は、犬のようではない。否。事物のようではない。否。知覚のようではない。否。否。〈他者〉のようではない。否。死のようではない。否。俺のようではない。結局、それは何なのか。

タラメード——汝は永遠の中にいる。しかし〈死〉を探している。〈死は存在しない〉。汝は出口を探している。〈出口は存在しない〉。ならば、汝は忘れ去られたのではないか？ 地下牢にいるのではないか？

汝は其処に存在し、その存在とは何であるのか？

キクリ＝キラ——俺は誰だ。俺は自己の内部にあって、自分自身として存在出来ているだろうか。俺は自分自身になれただろうか。〈自己〉とは一体、何なのか？

二つの孤独を知っている。一つは人が進んで自分の周りに築く孤独。もう一つは己れを己れ自身の囚人と化す孤独。

タラメード——汝の年は。

キクリ＝キラ——もう若くもないが、まだ年老いてもいない。半端な年。

タラメード――何処で、どんな家に住んでいるのか。

キクリ＝キラ――そんなもの終わりなき道の真ん中に根を張った障害物でしかない。

タラメード――もう一度、汝は誰か。

キクリ＝キラ――存在していない。

……急に消えたんだ！ あ！ 突然、消滅する！ それで後ろを見たらもう自分の居場所など存在しない！

……それにしても、君の目は燃えかかった炭みたいだ。夜に隠れた水平線のようだ。その周りでは全て白い。

タラメード――わたしは最早存在しない汝が口の赤みの中で青ざめ……いや、そこにはわたしの姿に似たむき出しの歯茎が。

キクリ＝キラ――人間という木は俺をベッドにする……誰がここに眠る。俺がそこに横たわる。〈其処〉と呼ばれ、大砲の銃口が俺の心臓に向けられているこの牢獄。盲人が階段を上がってくるのが聴こえる。なぜこんなにも騒がしいのだ。なぜ、何の為に。

タラメード――言葉や音の連なりは、もはや意味を形成せず、蘇るべき死者どもの名簿となる。

（目を閉じる）

キクリ＝キラ――君は眠っているようだ！ 君が俺の目で思考する時、やっと目が見えるような気がする。君の瞼は二つの黄金の器……それが俺を包んでいる……

さあ、不在の真似事は無駄だから、来るんだ。

タラメード――若い墓守がいる。顔は壁の穴のようで、何か我々に合図を送っている。ただその為に……お前の指は震えている……

いや震えているのはわたしか……わたしはお前の指の中にいる……彼らが眠っていてはくれないものか。

キクリ＝キラ――俺は君の存在でいっぱいになる。

タラメード――廃墟の内部で、三つの火が宝石を形成する。

キクリ＝キラ――夢の中では、音もなく音楽の約束がある。俺を隠してくれ……

タラメード――献身の十字架は壊れた電信柱。

……急に、ずっと以前に見た夢を思い出した。わたしは古い屋敷のような場所にいた。そこには沢山の家具や壁、光、置き時計が（特に置き時計が）あった。するとそれらは全て烏になった。彼らはわたしに話した。わたしはどうでもよかった。

［……］

エピローグ

〈海底にあるイラクサの野原で……彼らはその影の魂に生まれ変わり……〉

タラメード——汝について〈彼ら〉は好んで以下の言葉を用いた。貫通、鋭敏、醜悪、残酷。だが、つまるところ汝は誰なのだ。その人格の襞の背後にいる者は誰なのだ。汝はその言葉によって犯罪を犯した。いつか切れる黒い縄で空中に吊るされたその身体は砕け散り、溢れる海の底へと沈んでいく。

サレックス——或る夜、盲人に私を見せた。もし彼らが見たならば、それは空砲のように風の中で発せられる無意味な言葉など比にならぬほど、多くを語る。ただ、お前は正しい……私の言葉は犯罪である。私の文章はすべて〈作品〉というだだっ広い頁の端から端までに並べられた消去である。そしてこの偉大な〈作品〉は、まるで地上の〈永遠〉の廃墟のよう、白い断片で作られている。いつの日か、お前は私を見る。私が平然と太陽を殺し、高所の薔薇窓において、太陽で生者を串刺しにするのを。

そして私の抜け殻の空は、粉々に砕かれた未来で満たされる。私は〈広がり〉とともに眠り［……］〈寺院〉となった〈時間〉を最初の恋人のように忘れずにいる［……］

タラメード——それで、汝の道連れは？

サレックス——……自殺。首を吊って、やってしまった！と叫ぶ［……］ところでお前には、背後の〈大きな音〉が聴こえるかい。

タラメード——余りに聞きすぎた為に今では聞こえなくなってしまった。以前は苦悶する骨の衝突によるその狂った音を感じすぎるほど感じていた。

サレックス——確かな音、確かな響きが〈偉大ナル＝顔＝ノ＝

我ラガ=主〉の耳をくすぐり、彼を卑小にする……そして理解されない作家は霊感を求め自らの頭の上を歩き回り、頭を振り、我ら互いを照らす蝋燭を吹き消す。

（銃声と爆竹の閃光の後、舞台は暗転し瓦礫で満たされる。サレックス、タラメード、キクリ=キラは〈死〉を所有する者達の継承者となる。）

我が分身の影にて── DERRIÈRE SON DOUBLE

第一部　不可視のものから口の眼差しまで

最初であり最後である第一幕

第一場

舞台装置：地、天、大気、海、（時として大気を満たす）虚、或いは無

縁無し帽の男──鳥の長い嘴を持ち、付け鼻をしたそいつらをわしは見た。奴らはわしを引っ捕まえはしなかったが、目を閉じると、そいつらをはっきり思い出せる。長い嘴にまたがっている虚ろな眼窩のせいだ。きっと夢を見た。

（欠伸をして、目を擦る）

ああ、どうやらわしは眠った。欠伸が出るのもそのせいだ。わしは寝た、寝た……密閉された鉄の箱での永久の眠り……うう……血もこんなに冷たくなって［……］自分の中で、目眩を起こすような深淵がある！

（急に、彼は〈他者〉の存在に気がつく）

やあ、新しい下宿人さん。

（〈他者〉に向かって）

あんたは一体、何処のどいつなんだい。

H氏——あなたのご招待を預かって、〈名も無き者〉の所から来ました。

縁無し帽の男——どうやら、こんな時間にお忙しいようにお見受けしますが……

H氏——いまだかつて無かった日々を数えているんです。また、これからも決して無いであろう夜々を数えているんです。昼を開ける為の鍵を、充足した何事かを為すのに欠けている悉くを数え上げているのです。でもいつも勘定が合わない……ゼロのせいです。あれが全てを覆してしまう！ お分かりでしょう。

［……］

でもそれより、聞いて下さい。

砂漠のような愛の舞台裏

二つの死体がある、灼熱の中、虚無に見つめられ、虚ろな死の穴へぶつける言葉を嘯く死体が。宙づりの言語に突き刺さっている、その鋭い歯の震えを蔑ろにしてはならない。

（彼は壁の引き出しから二つの折鶴を取り出す）

死体A——（紙の穴から頭を出して）聞け。墓を露わにする大潮のように、地球には海がある。そして、死者とは蝋燭無き火である。我々に蝋燭は失われた。しかし我々が消滅したという事の、この限り無い喜びとは、一体？

死体B——我らの非人間的夜は、我々を深き深みまで運び去る。そして我々を突き動かすものは深淵の歓喜と呼ばれる。お前は死者か。或いは生者か。それともノスフェラトゥか。

死体A——我らの名前は腐った歯と一緒になって吐き捨てられた。そして我々の首を囚える縄の繊維のように歪められた。お前は我々の目から発した火と平行するこの縄の尖った先端、或いは真ん中に存在するのか。

死体B——私はお前の中心に存在する［……］

（彼は全力でしわくちゃの紙切れに体重をかけ、一方は抜け出す）

死体A――しかし風が凍ってしまったら？……死がまた我々を捕らえ、乾燥した土の下に埋められてしまったら？どうしよう……

（彼は雷の先端に飛び込み、貫かれて倒れる。しかし彼の血から発する光は青い炎となり、消えゆく他の登場人物と共にシラミと踊り、彼らは炎に巻かれる。まるで棒人間が瞬く間に消え失せるように。舞台装置は変わらないから、シーンを変えなきゃいけない……）

第二場

（シャンデリアの光が地面に投げかけるような、破れた太鼓の長いドラムロール……そして、骨の無いウナギがそうであるように地面すれすれで痙攣する光。それは負傷した手のそばで破裂する夜の奥へ、血によって引き寄せられる。そして、口を開けたり、岩の裂け目が頭部に変わったりする内部＝ノ＝精神は、ありふれた破れ太鼓のような、空咳のような言葉を発する）

内部＝ノ＝精神――見たかい。あっちの部屋で、醜悪で有刺鉄線のように毛むくじゃらの四肢を持つ蜘蛛＝女が床を引っ掻いているのを。ここにはどんな怪物が住んでいるんだ。

精神Ⅱ――流血する目に引っ掛けられた、女の髪を生やした死んだ猫の頭が部屋にはある。ただ蜘蛛は見たことがない。

［……］

精神Ⅰ――聞こえますか？

精神Ⅱ――風が。

精神Ⅰ――濡れる。

精神Ⅱ――ええ、遠くから訪れる涙のように、結晶が溶ける。

精神Ⅰ――目の下で彼はあなたの為に巣を掘る。

精神Ⅱ――ええ、空に浮かんだ手のように、満たされるように祈る。

満たされるように……さもなくば励まされるように。

地下の聖歌隊――しかし樽になった太鼓は、死んだ魚のように剥がれ落ちる乾いた涙で急に満杯になり、そして樽の輪金は空虚な眼鏡になる。それを目にかけると、絶望的に締め切られた背後の小窓が見える。これが外部＝ノ＝精神が、沈黙から脱する為に選び取った瞬間である。

……外部＝ノ＝精神は空のミイラの目を二重に閉じたという地下の鍵を、目によって太陽に捧げる。その瞬間とはとても寒くて暗い。そして太陽は闇のなかの蝋燭のように燃え盛る。旋回する机のように〈精神〉は一人で起き、彼に手をかざし、有無を言わせず尋ねた。

「〈精神〉よ、お前は何処にいる?」

〈精神〉は〈精神〉に応えず、限界の外部にある世界から飛び散る咳のように、天国が崩壊する。

第三場

（舞台は空（から）で、遠くに地下の聖歌隊の声が聞こえる）

地下の聖歌隊――世界と亀が不在の砂漠、残された者は油の中で溶かされ、狼の黒ずんだ目を通してやっと物が見えた。

――誰もいなかった。盲人がすがりついた壁のように悲惨な光景が全てを破壊した。

骨粉で白んだスクリーンに真空の現実が現れた……

永遠の光に通じる廊下のようだった。その光は水鏡に映されながらも、暗くなっていく。苔むした大気に突き刺さる乾いた雷は、嵐の無益な足である震える針を発した。夜に幾つもの灯台の光が交差し衝突するように、雷が四つ続く。銅の印璽に似た光。イカロスの翼を貫くように、迷宮があった。神は誰も見なかった。巨大化する世界という観念が神を滅ぼした。その時、神はその空の高みから、石英の集合体の涙で砕けた、大きい牝馬の乳に似たものを転がした。塩の彫像の白い霜を発そうとする同種の石英は、彼の全ての表面で涙を流した。

これが神＝ノ＝精神が選んだ瞬間であった。そしてH氏の複数の身体が選んだ瞬間であった。彼らが場へ登場する為に……

第四場

（H氏と彼の分身は海を正面にして座を占める。遠くの風で揺れる枝は深さの方向へと伸び、その木は限りなく転がっていく。海はその木の髪に似ており、目を眩ませるような海の水は、涙を蒸発させる塩の根で彼らの顔に色を付けた……）

H氏――全ての中にあって唯一、太陽の光は、生まれつき目の見えない者や、人間の頭を貫く眩しい稲光に似ている。何が起きる。何が起きるのか。

分身――お前は、自分が死んでいると思っている。興奮の熱に似た湿った炎のように、瞬く間に自分は分解される、と。お前が吸う空気とは乾いた水。頭は持ち重りして、これ以上運ぶことも、今さら拒絶することも出来ない［……］。

H氏――昼と夜は砕かれた稲穂のように我々の眼前に横たわっている……鋼の海は空間を強固にしようとする。そしてこの海は、嘘泣きする目のように生きていく。

分身――昼と夜は我らを死へと導く縄だ。死人の目は永遠を水浸しにする。私はお前に言っておく。白の部分は黒の部分と戦う。二つの闘争。渦巻と稲妻。闇と光。

H氏――お前の頭がお前に話しかける時、まるで巨大な雷が緋色のローブを引き裂くようだ。私達の頭脳とは骨に縛られた賭けの書物なのかもしれない。

分身――書物が在るのならば、私はもっと美しい書物を知っている。私はその書物に時間の地図を読んだ。そこには道があった。それを辿っていけば、お前は火の方位に在る。

H氏――硬い石の中の虚無を覚えているか。［……］私は、お前がいない場所でお前を見た。夜の約束もなく、時間だった。鐘が耕されない畑のうえに時を告げ、時間は眠りの雲のなかで破裂した。そして眠りが拡がり、目が覚めた。

分身――今、私の目は赤く見える光の火の上で止まる。

H氏――「そして眠りが拡がり、目が覚めた。」その瞬間、私は彼の中で自分が開かれるのを聞いた。時計の二つの針が十二という数字の上で合流する衝撃のような音。それは墜落した地下室から聞こえる笑い声の真夜中の重みのようだった。

そして最後の世界の背後へと続く地下室に彼を引きずり込んだ。

（火のように目に投げられた海水は彼の顔を灰にして流し、書き込みが入った巨大な本のような頭蓋骨の背表紙を剥き出しにした。そして血＝ノ＝主はゴングを叩き、死の無言の喪失を転がした）

第二部　深みとして捉えられた夜

（さて、黒い火が、赤い海が、青い大陸が、依然として黒い沈黙が。そしてカーテンの中には火の傷としての目が）

（三通目の手紙）

〔……〕

送られることの無かった死者＝の手紙

〔……〕

彼は裂け目から我々に言った。彼は徐々に固くなる泥と、世界のすべての靴底で強化された二フィートの薔薇十字を見た、と。彼は故障した貨物船をかすかに見た。それは少し棘の生えた水平線のようだった。

……〈天国〉へ続く油のポンプ

……ボーイスカウトの帽子

強烈な苦しみが彼を横切った。〈愛〉の依存症から赤い図形を得る為に、彼の目から殺人犯へと転移した苦しみが。灯台の微かな光が、彼の顔を監獄の廊下へ続く入り口を塞いでいる陰気な扉へと変えた。

そして我らが〈首長〉は不可視のインクを用い、幽霊零番の頬に書き付けた。現存の世界と不在の世界に関する幾らかのノートを。

ダイアモンド「鏡の破裂のなかで長引く嘆き……」

目「黒い真実は……」

水晶「（透明な大地でしか芽吹かない）……」

ルビー「凍った手……」
手「明滅する五つの目を持つ壁はどれも……」
他者「目の爆発でおのれの血管を燃やす……」

しかしこれらのノートは死によって未完のまま残された。行為によって、〈彼〉は自らが孤独な死の両目を死んでいると我々に示した。

ただ、現在

諸元素は父に抗して再び立ち上がる。闇の上層の口から後ろ向きで吐き出された太陽は、吹き曝され、あの大洪水を想起するような鋭い銅を解き放つ。

ルビーが赤い洪水のように増殖する。

再び天地創造はその崩壊の瞬間へと戻る。石化した虚無で〈終焉〉を破砕しない限り、世界の崩壊は止められない。
見える時間は〈永遠の＝文字盤〉へと倒れた。
無数の無限の果ての後、読み取れない時間が一秒を刻む。
（虚無が満ちる）

で。それで。
なんだ。もう何も感じない。ただ寒い。寒い……！
そして私は私の名前を此処へ刻む、

XXX.

［底本］
Jean-Pierre Duprey, *Œuvres complètes*, édition établie et annotée par François Di Dio, Christian Bourgois, 1990.

訳者による省略は［……］で示した。題名に掲げた「僕はこの惑星にアレルギーがある」とは、彼が死の二日前に友人に電話で言った言葉である。翻訳にあたっては星埜守之氏による『ジャン・ピエール＝デュプレー——黒い太陽』（水声社）を参考とした。感謝を申し述べたい。

フラッシュバルブ

吉田棒一

今にも蹴破られそうなドアを全身で押さえつける。部屋の内側から蹴りの衝撃が伝わってくる。ラブホテルの狭い廊下。同じ形のドアが並ぶ。向かいの壁にあるエレベーター。裸足のまま目いっぱい足を伸ばすと、つま先がどうにか「降りる」のボタンに届く。

ガチャガチャ回るドアレバーを全力で握る。固定する。女のものとは思えない力が反対側から伝わる。憎悪でパンパンに張りつめた狂気。それが部屋から解き放たれないように、必死になって力を込める。

Aはドアを蹴り続けている。外に出ようと蹴り続けている。顔は精液まみれのまま、服は一枚も着ていなかった。ドア越しにAの絶叫が聞こえ、思わず身の毛がよだつ。まるで咆哮、または呪詛。閉じ込められた獣。その怒り。

横目でエレベーターのランプを確認する。遅い。呼吸を整える。蹴りの衝撃のたび、ドアに一瞬だけ隙間ができる。それを見ると心拍数が上がる。息が詰まる。冷汗が流れ落ちる。

永遠のような時間。長い。突然、蹴りが止む。諦めたのか？　しかし、油断はできない。

ようやくエレベーターが到着する。スライド式の鉄扉。それが開く。部屋のドアを押さえたまま、どうにか衣服を整える。靴とカバンをエレベーターに投げ込む。携帯の充電器を置いてきた？ 知るか、くれてやる。

イチかバチか、ドアから身体を離す。タイミングをはかり、エレベーターに飛び乗る。南無三。

部屋のドアは開かない。Aは飛び出してこない。獣は部屋を飛び出してこない。

そのまま出てくるな。

「閉じる」のボタンを連打。

鉄扉が閉まる。低いモーター音。

静寂が訪れる。

急いで靴を履く。服を着る。

一階に到着。ロビーを抜けて逃げるようにホテルを出る。Aが追ってこないか、時々うしろを振り返る。春先の昼下がり。他人事みたいに天気が良い。酔いは完全に醒めてしまった。当然だ。当然だろう。

人ごみに紛れる。駅に到着し、電車に乗る。車内にAの気配がないことに安堵する。エレベーターに乗っている間、出口に先回りするAが思い浮かんだ。全裸で階段を駆け下り、外まで追いかけてくる姿が容易に想像できた。Aは酔い過ぎていたし、もともと頭のネジが外れている。あの女は完全にイカれている。

電車は人が走るよりも遥かに速いスピードで、Aを残して町を離れる。空いた座席に座ると、ようやく緊張が解れてきた。

今頃、あの部屋で数分前の記憶さえ失いかけているのだろう。Aの言い分はきっとこうだ。

「あなたを愛している。それなのに、なぜ」

電車に揺られながら、約束の相手に「少し遅れている」とメールをすると、すぐに「先に入ってるね」と返事があった。メールには店までの地図と一緒に営業時間やメニューの写真が添えられていた。色とりどりのパスタとピザ。赤だか白だかのワイン。全部どうでもいい。

Instagramを開く。Aの投稿は更新されていない。過去の写真を新しいものから順にスクロールしていく。そこにはいつも通り、光と陰しか写っていない。Aの目とレンズは、光と陰しか見ていない。

「あなたもそうですよね？」

初めてAから送られてきたメールは、これまでのやり取りに埋もれてしまって、もう見ることができない。

「あなたの写真も同じですよ」

「初めて見た時からずっと思ってました」

「あなたの写真にも美や死や永遠しか写ってないです」

「言葉も、あなたの詩や小説もそうです」

「そういったものを秩序によって支配すること以外、私たちにはできないし、そもそも無価値なんだと思います」

「過大な困難と直面することでしか、この途方も無い作業は終わらないんだと思います」

やがてメッセージと一緒に裸の写真やオナニーの動画が送られてくるようになった。頭のおかしい女がスマートフォンに住み着いた。そう感じた。

初めてAに会い、最初に裸を見た時には既に何の感慨もなくなっていた。画面越しに見飽きた裸がただそこにあるだけだった。匂いと体温だけは新鮮だった。

ベッドに寝転がりながら、Aはインターネットに上げられている自分の写真や文章について、ひとつひとつ詳しく説明した。何を言っているのかさっぱりわからなかった。二人とも激しく酔っ払っていた。

会う時はいつもホテルだった。お互いにカメラを持ち込んで、写真を撮り合った。セックスをしながら撮ることも、終わってから撮ることもあった。カメラで撮ることも、スマートフォンで撮ることもあった。

セックスが終わって帰ろうとするたび、Aは必ず半狂乱になった。そうなると手がつけられなかった。灰皿だのワインボトルだの、その辺にあるものを全て投げ散らかし、部屋中がめちゃくちゃになった。全裸のまま掴みかかられ、引っ掻かれ、噛みつかれた。全身にはAにつけられた傷が常に残された。Aは自分の感情をまったく制御できなかった。自分で自分にウンザリしているようだったが、ウンザリしているのはこっちの方だった。

夕方のまだ早い時間帯で、店は空いていた。女がカニだかウニだかのパスタをフォークでグルグル巻いている。それを見ても全く食欲が湧かなかい。酒を飲む気も起こらず、水ばかり飲んだ。

「またあの人に会ってたの？なんだっけ、あの、写真の」

手首と首筋にできたミミズ腫れを指差しながら女が言う。手首のものには気づいていたが、首筋のものは言われるまでわからなかった。返事を迷っているとテーブルの上の携帯がブルブル震え、画面にAからのメッセージが表示された。

「どこに行った」
「殺すぞ」
「どこにいる」
「逃げられると思うな」
「死ね」
「殺してやる」
「居場所を言え」
「今から殺しに行く」
「どこだ」
「殺す」
「殺すぞ」
「殺す」
「やっぱり自分で死ね」
「死ね」
「一人で勝手に死ね」
「死ね」
「やっぱり殺す」
「ブチ殺す」
「殺す」
「お前を殺す」
「必ず殺す」
「必殺」
「天誅」
「どこにいる」
「探し出してやる」

「今すぐ探し出して殺す」

「お前を殺す」

「殺してやる」

「殺す」

「殺す」

電源を切ってウィスキーソーダを一杯だけ注文した。女は笑っていた。目尻に寄った皺を見ていると、いくらか気分がマシになった。

「笑いごとじゃないんだよ」

「そんなに嫌なら、もう会わなきゃよくない？」

ウィスキーソーダを飲み干す。薄いアルコールが、凝り固まったものを解体していく。女はスパゲティを半分以上残したまま、ナプキンで唇を拭い始める。どいつもこいつもどうかしている。まともな人間がいない。

本日、二度目のラブホテル。手入れの行き届いた清潔な部屋と、手入れの行き届いた清潔な身体。手首と腰にロシア語の刺青がある。意味を聞こうとは思わない。どうせロクでもないものに違いない。それを嬉々として語り出す彼女を想像するだけでウンザリする。コンドームの中に射精して、キスをして寝転がる。暗闇の中、女がスマートフォンを開く。ぼんやりとした光が彼女の横顔を照らし出す。

「ねえこれ、この、あなたの詩？ 小説？ もしかして私のことが書いてある？」

「人のアカウントを勝手に覗き込むな」

「見られるのが嫌ならインターネットなんかに変なこと書くのやめたら？」

「別に変なことじゃない」

「変だよ。微妙に意味とかわかんないし」

この女は誰のことも愛していない、と感じる。そういう生き方なのだろう。まったく清々しいことだ。それでも肥大した自意識と面倒なプライドだけは一丁前に持ち合わせている。人間が持つ根源的な正義が美貌と暴力だとするならば、彼女はその片方を完全に理解し、解体し、再構築し、見事に使いこなしている。彼女は美し過ぎる。

Instagramを開くとAの写真が更新されていた。いつもの光と陰。何枚かは今日の部屋の写真だった。臙脂色の下品な壁もゴテゴテした安物のシャンデリアも、Aの手にかかれば何でも光と陰になってしまう。いつの間に撮られたのか、陰毛に埋もれたペニスの写真もあった。投稿は一時間前になっている。すぐに削除されるだろうと考えて、通報せずに放っておいた。Aの足の指の写真もあった。血液が流れ出ているのは、裸足でドアを蹴っていたからだろう。小指と薬指の爪が二枚とも剥がれている。写真に添えられた短い文章を読む。

「目を覚ましたら男は姿を消していた。部屋は荒れ放題だし、足の爪も剥がれていた」

「私はどうしてこうなんだろう。ようやく何でも話せる人に出会えたと思ったのに、私がこんな女だから全然うまくいかない」

精液まみれの自撮りもあった。他の写真と同じように、光と陰によって卑俗さが完全に剥奪されている。数時間前まで白分の体内にあったものが、こんな形で世界中に発信されているのは妙な気分だった。

「メールの履歴を見たら、彼宛ての罵詈雑言が残されていて絶句した」

「全然、何も覚えてない。セックスした記憶がないのにまんこがヒリヒリする」

「今度という今度は本当におしまいかも知れない」

写真は一枚残らずいつも通りだった。つまり素晴らしかった。一方で、文章はしみったれた戯言ばかりだった。メールで送られてきた言葉の方が遥かに生々しく、真実の力強さがあった。純度百パーセントの強烈な憎悪。完全な殺意。横で微睡んでいた女が目を覚まし、スマートフォンの画面を覗き込んでくる。

「私、Aさんの写真も言葉も好きだけどな。なんかこう、裸っていうか、迫ってくるっていうか、剥き出しな感じ」

言い終えると、彼女は布団に潜ってフェラチオを始めた。肩から背骨にかけての曲線、シーツに流れ落ちる髪。唾液の音を聞きながら、彼女のフェラチオをスマートフォンで撮っていく。

「ねえ、カメラ使ってよ。今日、持ってないの?」

「面倒なんだよ」

「Aさんの写真も撮った?」

「いや」

「カメラで?」

「………」

「ねえ」

「お前には関係ない」

カメラロールにくだらない写真が蓄積されていく。自分でも何故こんなことをしたくなるのかよくわからない。女の顔や身体。造形は整っている。造形だけは。重要なものもそうでないものも、そこにあるものが静止画としてなりふり構わず固定されていく。血管が浮き上がる。滑稽だ。笑える。

セックスの途中、女の枕元で携帯が鳴る。ほとんど一秒おきにAからのメッセージが表示される。

「ごめんなさい」

「謝りたい」

「どこにいますか」

「謝りたいです」


「お願い」

「どこ」

「ごめんなさい」

「会って謝りたい」

「何も覚えてないんだけど、でもわかってる」

「全部わかってる」

「ごめんなさい」

「今どこ?」

「どこ?」

「会いたい」

「ごめんなさい」

「愛してる」

「愛してる」

「ねえ、愛してる」

「愛してる」

「愛してる」

「愛してる」

「愛してる」

「愛してる」

まだ酔っ払っているのは間違いない。とにかく、こいつにはウンザリだ。Aにはもうウンザリなんだ。目の前で揺れる美しい鎖骨。乳首。それを写真に収めていく。陰毛。そこに割って入るペニス。くだらない。パシャパシャと馬鹿みたいな偽物のシャッター音。ロシア語の刺青。唾液。何の感慨もない。意味もない。それを全部、残しておく。どうせすぐに跡形もなく消え去ってしまう。何もかも。

セックスが終わる。満足か？ 誰が誰に聞いているのかもわからない。携帯は鳴り続けている。女が電源を切る。彼女はそのまま眠ってしまう。やるべきことは全てやった、とでも言いたげな背中。背骨のひとつひとつまで美しい。そこに舌を這わせていく。墓石に添えられたロウソクのような、やましい、役立たずのできそこない。自己破砕者。まったく嫌になる。

ホテルを出て女と別れる。二十二時。歩きながら、カメラロールにたまった写真を選別していく。鎖骨。髪。乳首。陰毛。背骨。ペニス。シーツ。唾液。精液。それらをそれらとわからないように画面の中で加工していくと、何か意味ありげな抽象的な写真ができ上がる。それをインターネットに流していく。要するにAは誤解している。こんなものが美や死や永遠であるはずがない。文学であるはずがない。詩であるはずがない。光であるはずがない。陰であるはずがない。

ポケットの中に携帯をしまう。メールはすっかり鳴り止んでいる。誰もお前を憎んでいないかわりに、誰もお前を愛していない。撮ったばかりの女の写真をAに送りつける。美しさだけが取り柄の女。その裸。それに触れる自分の指先。お前が愛する男の指先。

路上でサキソフォンを吹いている男がいる。孤独と退屈は綯い交ぜになって、とっくの昔に区別がつかなくなっている。去勢されたフリージャズ。トイレットペーパーで顔を拭いているような音だ、と感じる。

0123456789
BCDEFGHIJKL
PQRSTUVWXYZ
Издательство «Сахалин – Приамурские ведомости»
2011

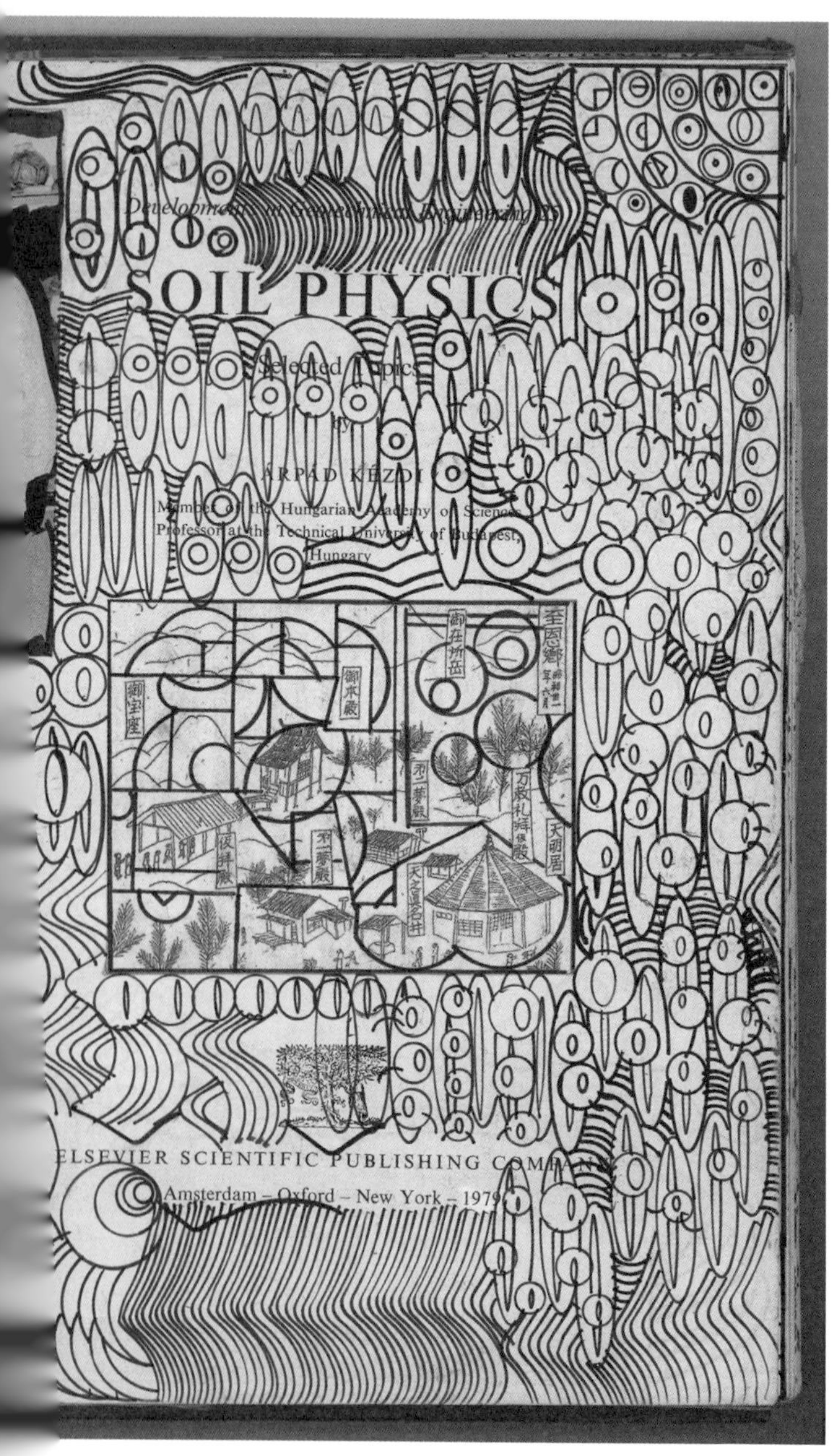
SOIL PHYSICS
ÁRPÁD KÉZDI
Hungary
御在所岳
至恩郷
御宝座
天明居
天之真名井
ELSEVIER SCIENTIFIC PUBLISHING
Amsterdam – Oxford – New York – 1979

「蛸は夜行性です。明るい時は物陰に隠
れて鯛などの餌食にならないようにする。
しかし砂地の海底では隠れるところがな
い。そこに壺があれば、奴さん、これ幸い
とばかり身を潜める。これが人間様の思う
壺でね」と船長は地口まで加えて説明して
8. L. N. PERSEN
9. M. D. GIDIGASU
LATERITE SOIL ENGINEERING
10. Q. ZARUBA AND V. MENCL
ENGINEERING GEOLOGY
11. H. K. GUPTA AND B. K. RASTOGI
DAMS AND EARTHQUAKES
12. F. H. CHEN
FOUNDATIONS ON EXPANSIVE SOILS
13. L. HOBST AND J. ZAJIC
ANCHORING IN ROCK
14. B. VOIGT (Editor)
ROCKSLIDES AND AVALANCHES, 1 and 2
C. LOMNITZ AND E. ROSENBLUETH
C. A. BAAR
In-situ Behavior of Salt Rocks
A. P. S. SELVADURAI
J. FEDA
Á. KÉZDI
STABILIZED EARTH ROADS

Distribution
100
proportion
0123456789012
d
b
c
100
10
0
Volume of the grain Vp, cm3
Fig. 24
Distribution of the pores according to their vo
1 cm
Fig. 25
Shape of the pores in basalt split
100
80
40
20
ABCDEFGHIJKLMN
OPQRSTUVWXYZ
c
d
b
20
10
Volume percentage for curve d, %
20
10
5
2
1
0,5
0,2
0,1
Volume V, cm
Fig. 26
Danube grave

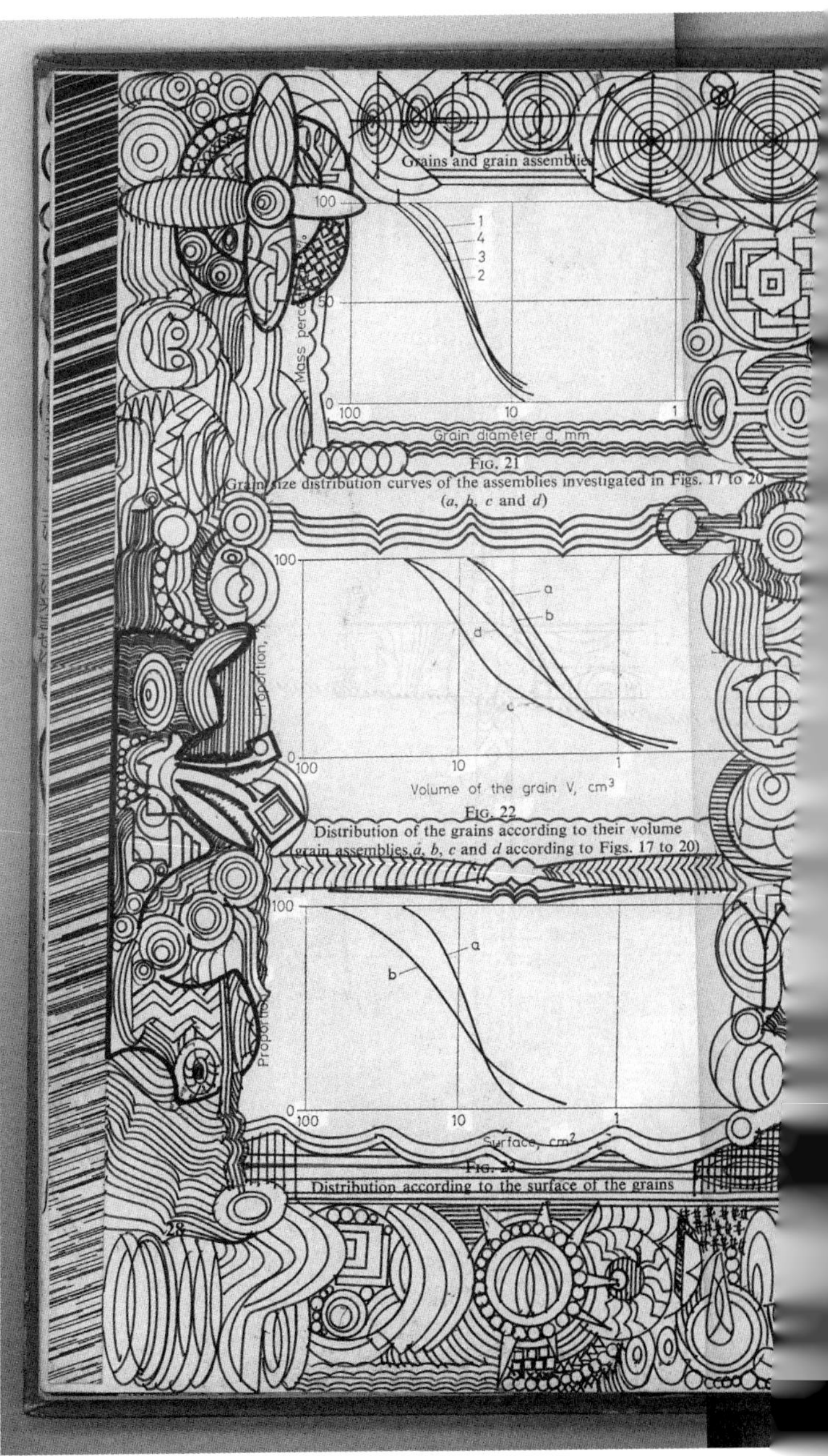
Grains and grain assemblies
100
50
0
Mass perc
1
4
3
2
100
10
1
Grain diameter d, mm
Fig. 21
Grain size distribution curves of the assemblies investigated in Figs. 17 to 20 (a, b, c and d)
100
0
Proportion,
a
b
d
c
100
10
1
Volume of the grain V, cm³
Fig. 22
Distribution of the grains according to their volume (grain assemblies a, b, c and d according to Figs. 17 to 20)
100
0
Proportion
a
b
100
10
1
Surface, cm²
Distribution according to the surface of the grains
28

ABCDEFGHIJKLMN
OPQRSTUVWXYZ

ABCDEFGHIJ
KLMNOPQRSTUV
WXYZ

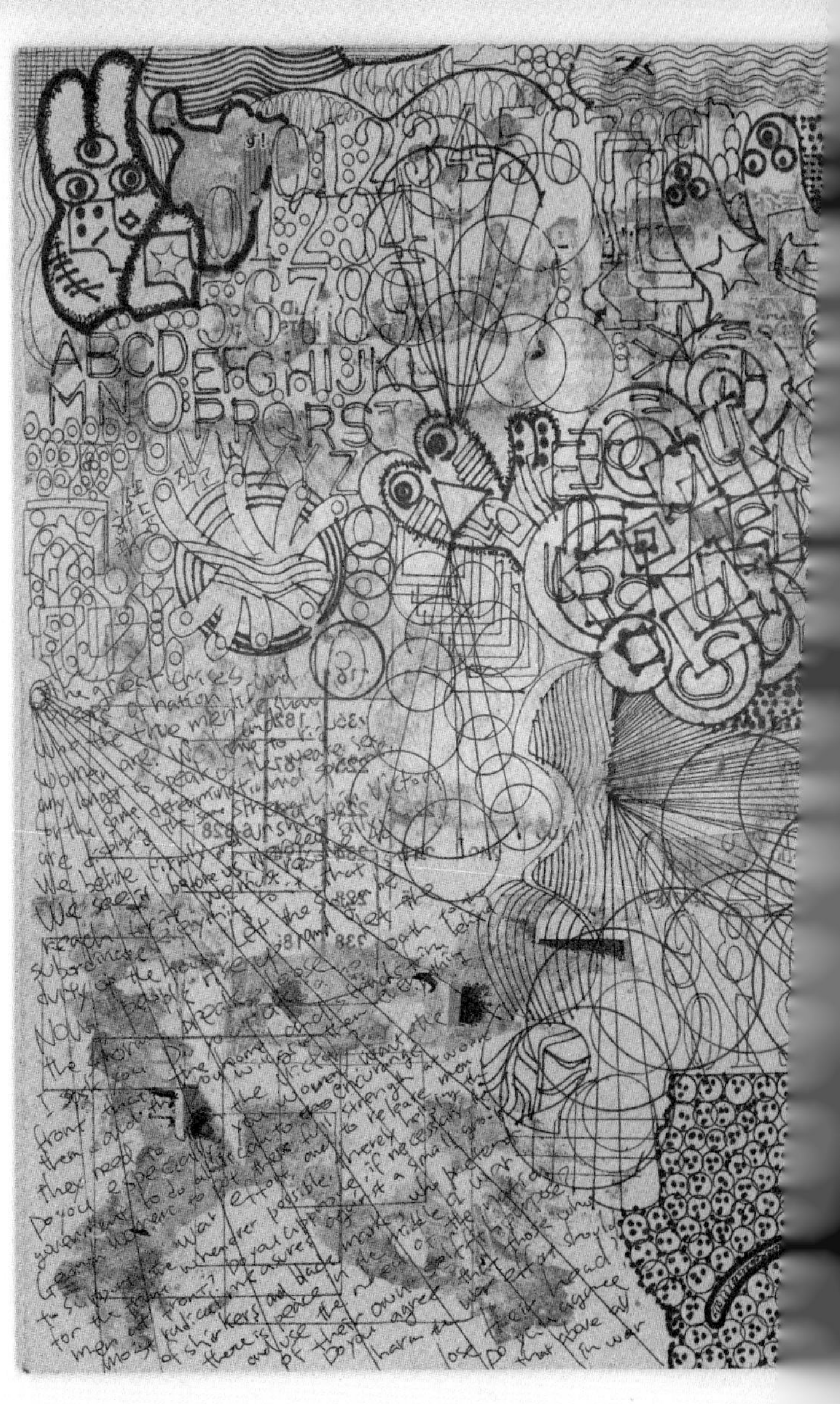

金村修映像展『Sold Out Artist』について

『Sold Out Artist』2022.8.19－9.25
CAVE-AYUMIGALLERY

金村修

わたしが十代の頃に観たゴダールの『Made in USA』の中で、「ウォルト・ディズニー＋流血」というナレーションがあったように記憶している。記憶違いかもしれないが、それはとてもインパクトのある言葉で本当にその言葉が使われていたかどうかはともかく、「ウォルト・ディズニー」に「流血」という言葉を組み合わせるその発想がとても新鮮に思えた。ウォルト・ディズニーの象のダンボは、ＬＳＤの幻覚下で発想されたという噂があり、確かに遠近法を無視したかのように極端に大きい耳の持ち主だった。それは本人の気になる箇所が（例えば象の耳）極端にクローズアップして見えるというＬＳＤ特有の見え方をアニメ化している。パンフォーカスやクローズアップ、スローモーション、コマ落としというような映像の技法はＬＳＤを投入されたときの見え方と共通項があるのかもしれない。風景が前から後ろまでピントが合って見えるパンフォーカスの状態で風景を見ることが肉眼で可能だろうか。スローモーションやコマ落としにしても、それは身体的な危機を感じたときに脳が人間に見せる幻覚であり、通常の状態で見えるものではない。そのような技法が多用される映像はとても幻覚的であり、人間の通常の肉眼の見え方とはかけ離れたところで成立している。映像とはＬＳＤが見せる幻覚のように現実からかけ離れたもので、人間の知覚を変容させるものだ。それを娯楽として活用しようと考えたときに初めて、映像にストーリーが要請されるようになったのではないだろうか。ストーリーの中に収拾させることで映像の暴力性を覆い隠し、スペクタクルなものとして商業化することに成功した。本来なら映像の技法はストーリーと対立するものであり、人間の視覚と脳に分裂と混乱を召喚させる技法だったのではないだろうか。

映像は視覚的な経験ではなく、波動を直接浴びるような経験であり、それは音楽を聴く経験に近いような気がする。映像を見ることとは、そこに写った被写体を認識しそれらについて思考することではなく、思考することを拒絶させられる経験なのではないだろうか。空襲は美しいと『堕落論』に坂口安吾が書いているように、思考することができず、ただ唖然とその光景を見ることとしかできない完全な受動態に人間が置かれることが空襲の経験であるのなら、映像もまた人間を受動態下に置き、思考や言葉を取り上げるだろう。空襲や映像が美しいと感じるのは、思考する力が入り込むことを拒否させられるからだ。思考する力を人間から奪い取るからこそ映像は美しいのだ。

映像が人間から思考する力を奪うのなら、映像を見ることは、映されたショットの繋がりを忘却して統覚することができなくなり、それらを一つの体系として、統合して見ることができなくなることではないだろうか。感動を失ったときに感想が生まれると小林秀雄が述べているが、それは感動というのは主体が対象に圧倒され言葉や思考力を失い、対象に対して受動的な状況に置かれるのに対して、感想を述べるということはそのような受動的な態度から主体を回復させるための行動だ。それは対象の圧倒性に主体が自己を放棄したことに対して、放棄された主体をもう一度立ち上げることなのだ。映像はけれどそのような感想を語ることを禁止する。映像について語れることは、覚えているショットをただ羅列することだけだ。映像を前にしてわたし達はショットを羅列すること以外に言葉もなくただ唖然として見続けなければならない。

坂口安吾は空襲を運命として受け入れる人々を美しいと言っている。どのような理不尽な出来事も運命として受け入れる人々にとって、それは甘受しなければならない現実だ。それは断片化された現実が脈絡もなく繋がっていくことを肯定することであり、そのような運命を受け入れた受動態の人間にとって「私」という存在はどういうものなのだろう。空襲を唖然として見続ける私にとって、統合された主体としての「私」が存在するのだろうか。対象的知覚を統覚する「私」の連続性、統一性が成立していることが「私」の根拠ならば、映像を見ることは空襲と同じように、世界を統一されたものとして認識することができないのだから、見ることは「私」の連続性、統一性を解体しようとするだろう。映像とは基本的に断片の集まりであり、ストーリーが無ければそれらは繋がらない。映像を見ることとは、「見る」という主体的な能動性を受動性に変容することだ。ストーリーという理解の装置を解除することだ。映像を見るということは、映像に「私」が同期することであり、映像に同期することは「私」という統合された人格を崩壊させることになるのではないだろうか。「私」には統御できない世界が映像であり、「私」の外側に存在するものが映像だから、それを「私」が理解することができない。理解できない理不尽な空襲を甘受している人々を美しいと坂口安吾が言ったように、ただそれを受け入れる。理解できないからこそ映像は美しい。

「ウォルト・ディズニー」と「流血」。ハッピーな幻覚の世界としての「ウォルト・ディズニー」とリアルな苦痛を想起させる「流血」の対比。この二つの単語の間に有機的な結合が感じられない。「ウォルト・ディズニー」と「流血」の間には切断しか存在しないように、繋がらないことが映像では重要なことではないだろうか。繋がらないものを無理やり繋げることが編集であり、現実世界における有機的な連鎖の環を断ち切って、再連結させることが編集なのだ。かけ離れたショットを共約可能な体系に収拾させるのがストーリーなら、編集はかけ離れたショットを繋がらないように繋ぎ合わせることで、ストーリー特有の継起的な因果関係による共約可能な映像から共約不可能な映像に転倒させるだろう。

互いに何の共通項も持たない「ウォルト・ディズニー」と「流血」を繋げることで何かが生まれることはない。赤と青を混ぜると紫色になるように、「ウォルト・ディズニー」と「流血」を繋ぐことで新しい何かが現れるわけではない。「ウォルト・ディズニー」と「流血」は何一つ混じり合わないままタイムラインの上を平行線のように進み続ける。「ウォルト・ディズニー」と「流血」は統合しない。ハッピーな幻覚とリアルな苦痛は混じり合わないまま映像の中に存在し続ける。現実の世界を切り刻み、統合されないまま差し出される映像はどのイメージにも帰属することができないのだ。そのような有機的な関連性を欠いた映像について思考することができるだろうか。映像は脳の問題ではなく、脳という中枢機能を通り抜ける。それは脳の思考ではなく末端神経の反応であり、映像はだから脳という中枢に到達するのではなく脳を通過することであり、非中枢的な場所へ振動のように浸透してゆくだろう。映像を見ることは視覚の経験ではなく、身体の経験、身体が変容していく経験なのだ。

映像を見続けることは流れ続けるショットを記憶することではなく、忘却し続けることだ。淀川長治のかなりいい加減なうろ覚えの記憶で語られる映画についての話は、一度忘却されて再構成または創造されたものこそが記憶なのではないかとさえ思わせる。持続が継起的な因果関係による繋がりで成立するのではなく、淀川長治の記憶のように過去と現在を切断して再結合させるか、またはシャッフルされたものとして現れるのが持続なのだ。因果関係を断ち切って、忘却することで初めて持続が可能になるのではないだろうか。シェイクスピアの言うように「世の中の関節は外れてしまった」のだから、記憶は骰子を振るように突然現れては消えるものの集積であり、時間が勝手に振った骰子のように記憶が決定される。そのようなショットが無かったにもかかわらず、まるで存在したかのように語る淀川長治を見ていると、記憶とは本人が主体的にそのショットを記憶として獲得することではなく、突然何の脈絡もなく他の映像と繋がり、置き換えられ更新されることなのだと思える。わたし達には映像を覚えることができない。突然身体に侵入してきた断片を脈絡もなく強制的に見続けさせられることで記憶が作られる。

写真や映像に過去は存在しない。写された被写体は過去ではなく、その写真を見た人による現在の想起によって被写体は過去として認識されるわけだから、写真に写された被写体はそれは常に現在としてしか存在しない。写真や映像は常に現在としてしか存在できないのなら、写真や映像に実体としての記憶は存在しない。実体化されることもなく流れ続けるものが記憶であり、想起されることで現れ続ける記憶は常に更新されるものでしかないだろう。写真や映像は中原昌也の言うように「シネマの記憶喪失」であり、写された被写体が持っていた記憶やアイデンティティを写すことでそれらを剥ぎ取る。印画紙に記憶が定着されるのではなく、記憶を奪い取られたまま定着される。写真や映像には現在しか存在しないのだ。だからそこには時間も存在しない。写真や映像に定着された被写体はいつまでもそこに現在としてあり続ける。生の一瞬を切り取り、それらを永久に保存するために撮られた写真や映像は、過ぎ去って消えて行くものに対して永遠の生を与えようとしたことで、それはかつてあった、今は存在しないことを証明した。それは生の領域にあった被写体を、死の領域に移行させることであり、永遠の生を獲得しようとした写真や映像は、そのことで被写体に対して死亡を宣告することになった。写真や映像は永遠に生きる。けれどそれは幽霊やゾンビと同質の生だ。

ほとんど変わらない表情と簡素なセリフしか喋らない役者達が数秒毎にカットバックで編集された小津安二郎の映画を初めて見たとき、それはただ純粋に顔だけが写っている映画としか思えなかった。ドゥルーズは小津の映画を「純粋に光学的音響的な状況」と書いているが、「純粋に光学的音響的な状況」とはジミ・ヘンドリックスのハウリングに近いように思える。ジミ・ヘンドリックスのハウリングは音楽ではなく、音そのものであり、メロディーという体系に回収されない。それは「純粋に光学的音響的な状況」としての音なのではないだろうか。メロディーに関しては音楽理論での解釈や分析は可能だが、ハウリングに関しては何故それが良いのかを分析することができない。それは良いハウリングか悪いハウリングという言葉でしか表現できない。ハウリングとはトートロジーであり、音は音以上のものではなく、メロディーのように形容詞や隠喩で語ることができない。その音がそこに存在するとしか言いようのないものだ(写真もまた写っているもの以上のことを言うことができない。犬は犬であり、被写体の名前を羅列する以外に写真について語ることができない)。

小津安二郎の映画の登場人物は、役者がその人以上のオーラを見せることがない。役者と言えば、ある役柄がその役者に取り憑き、言い様もないオーラが滲み出る役者がいい役者なのだと世間では思われているのだろうけれど、小津の映画に出てくる役者にはそのようなオーラが存在しない。役者は人間である以上の主張はせず、それはそこに配置されているタンスやちゃぶ台と同じように配置されたことだけを演じているように見える。そこにはエモーショナルなものが存在しない。監督の指示によって配置された平凡な人間がそこに座っているだけだ。写真や映像は、写された被写体をそれ以上のものに見せる魔法のようなメディアではない。犬は犬であり、猫は猫でしかない。トートロジーこそが写真や映像の本質であり、そこに特別な価値が付加されることがない。あらゆるメタファーを拒絶することが写真や映像であり、写された犬や猫がそれ以上の存在として見えることを拒否する。そのままであること、凡庸であることが美しいのだ。ヒッチコックの『鳥』が素晴らしいのは、鳥が悪魔のような力を持った怪鳥に変身するのではなく、最後まで凡庸な鳥のままでいるからであり、一人一人の個別性が曖昧になった工藤栄一の『十三人の刺客』のように、個別性を失った単なる鳥だからこそ美しいのだ。

Medium

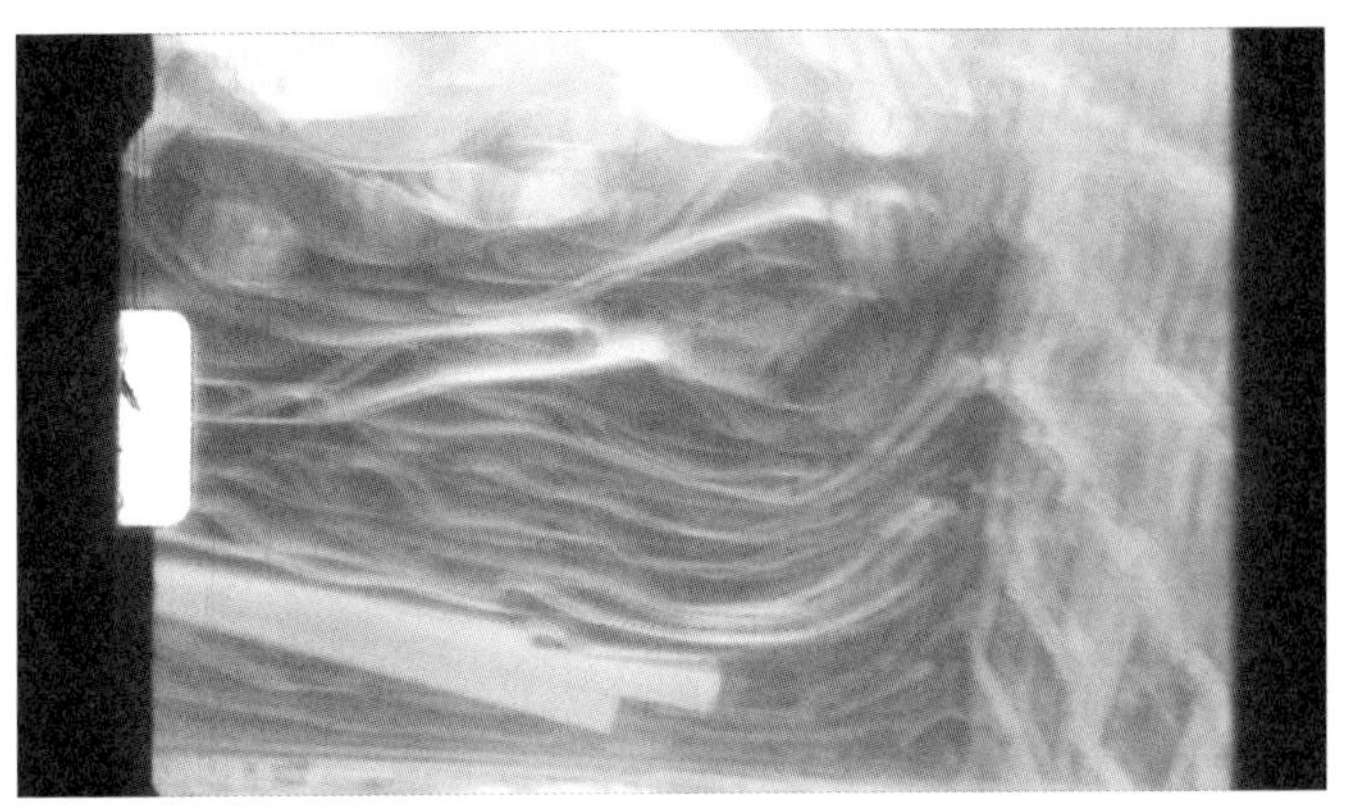

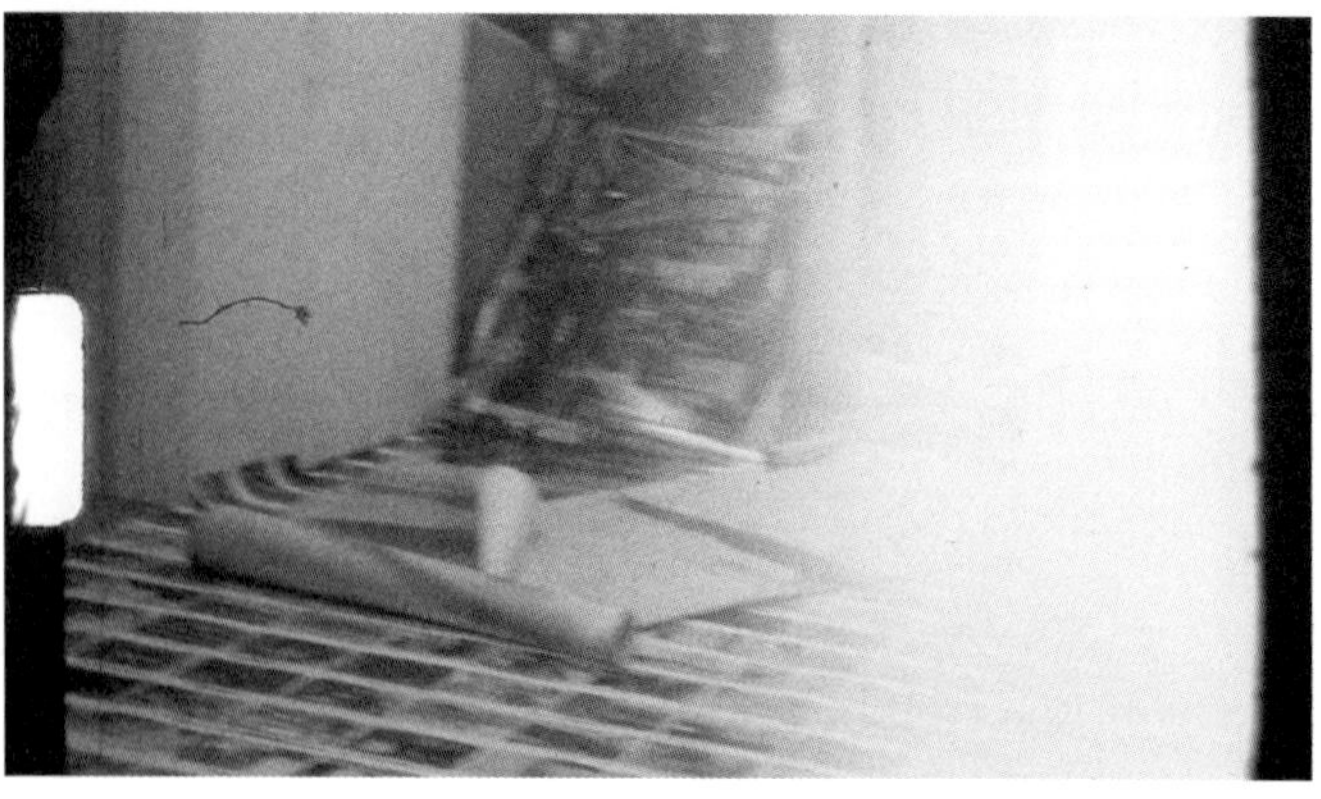

自己中毒啓発

小松浩子

刑罰とは形式的には犯罪に対する法的効果として国家および地方自治体によって犯罪をおかした者に科せられる一定の法益の剥奪を指し、その実質的意義は犯罪に対する国家的応報であるとともに、一般予防と特別予防をも目的とする。身体刑は近代以前までは刑罰の主流であり、「四肢の切断」「去勢」など身体機能損傷、「鼻そぎ」「入れ墨」など犯罪者の烙印、「鞭打ち」「杖刑」など肉体的苦痛の付与などの系統に分かれる。近代以降は身体刑から自由刑への移行がおこり、拷問等禁止条約などの近代法制では残虐刑を忌避することから残虐な刑罰と受け止められた身体刑は抑制されるようになり先進諸国ではほとんど行われていない。自由刑とは受刑者の身体を拘束することで自由を奪うもので、現行刑法では懲役・禁錮・拘留が定められているが、期間によって、期間を定めて自由を剥奪する有期刑・原則として死ぬまで刑期が終了しない無期刑・期間を定めない不定期刑に分類できる。

犯罪は様々な様相をもって現れるのに対して、刑罰は単調さをもって現れる。犯罪のうちごく一部を挙げるだけで、傷害罪・暴行罪・過失傷害罪・器物損壊罪・脅迫罪・恐喝罪・強要罪・詐欺罪・背任罪・横領罪・窃盗罪・名誉毀損罪・侮辱罪・信用毀損罪・業務妨害罪・強制性交等罪・現住建造物等放火罪・住居侵入罪・不退去罪・重婚罪・賭博罪・死体遺棄罪・収賄罪・殺人罪・自殺幇助罪・堕胎罪・遺棄罪・監禁罪・強盗罪・売春周旋等罪と非常に広範にわたるが、刑罰では死刑と罰金刑を除くとほとんどの処罰を監禁が占め、刑罰は時間の長さに換算される。

啓蒙主義の観点から受刑者が受ける規律によって正しい価値判断が育まれ、犯罪から距離を置き社会貢献できる人間に更生されるという考え方がある。これは一般の人の想像の中で作用する刑罰の一形態であり、罪と罰が頭の中で結びつく事が重要とされる。監獄で受刑者へは、繰り返される訓練、反復される運動、小刻みに決められた時間割など身体を規律化するための諸手段が矯正という目標達成のために用いられる。受刑者を壁で仕切られ外部から断絶された空間に隔離する刑罰が実践され、速やかに服従の体制に入れる人間を作ることが重要とされる。

監視とは相手の状態や状況の変化を逐次に知るために見張りなどの手段を用いた受動的な情報収集の活動を指し、保安や防犯において定位置から長期間にわたり対象を観察するという意味でも用いられる。パノプティコン（＝全展望監視システム）は人が集まる多種多様な場面に応用可能な技術で、被監視者が「いつ・どこで・誰に」監視されているか知覚できないという不確実性を利用する事で監視の労を最小限にまで抑えて秩序維持効果を最大に保つことが可能となる。監獄において受刑者は、一般の人々からも受刑者相互からも厳格な区割りにより空間的・時間的に隔てられ、処罰を加える者以外との接触を持たない。受刑者が自らを監視し律する事で自身を良き服従者として他者が肯定するという仮定で行われる規律も非日常空間における例外的なものである。また、かつて行われた疫病による都市の封鎖では例外的な状況において規律の一側面である監視・記録・掌握などが突出した形で徹底されたが、死を封じ込めるために不服従者を抹殺する規律も、あくまでも閉鎖的で特殊な非日常空間における例外的なものであった。しかし規律が非常事態を超えて日常へと浸透する中で、軍隊・学校・病院・近代工場などで高度教育・生産性向上・効率化などとして肯定的に捉えられ、家庭においても規律が浸透し、相互監視の役目を担わされている。日常空間の原則として不服従者を抹殺する規律が機能するなら、非常事態下においても非日常空間と日常空間は区別されない。

監視には対象を観察することも含まれており、観察とは対象の実態を知るために注意深く見て変化を記録することで客観的な視点が重要とされるが、観察という行為には人間の「認識」という経過が含まれており観察者が誰であろうが先入観や主観から逃れることは難しい。また観察者の存在による観察対象の挙動の変化は、生物学や社会科学の分野では広く意識されていたが、物理学の領域においても量子力学の発展以降は物質レベルにおいても観察者の存在による観察対象の挙動の変化が認められ、この点からも「客観的な観察」の成立が疑問視されている。また観察者と被観察者は互いの存在によって挙動を変化させていることから、その役目を定位する事ができないため、観察者は被観察者であり被観察者は観察者であり得る。

受刑者を外部から断絶された空間に隔離する刑罰の単位は時間である。時間の長短で刑罰の軽重を測り、罪に相当する量の未来を人生から欠損させる。未来は時間の中で現在の後に来るものであり、時間や物理法則が存在する限り未来の到来は避けられないものとされる。未来は万人にとって予測不可能であり、未来にあるものが栄光なのか挫折なのか、どのくらい継続するのか誰も知る事ができない。監獄という限定的な空間においても受刑者・処罰を加える者ともに等しく未来を予想できないにも関わらず、その一定期間の欠損をもって罪を贖うこととされる。「未来とは、それが完全であるがゆえに、プロパガンダなのである」とソヴィエトの詩人ヨシフ・ブロツキーは言ったが、科学的全体主義にとって未来はプロパガンダである。全体主義的な「進歩」のイデオロギーは、人の心を蝕む未来という先天的な重荷から人類を予防的に開放すると称していた。予測不能な未来への懸念は「進歩」から見れば非効率である。プロパガンダとは信仰を広めることであるが、全体主義的な「進歩」は方向感覚を失った盲信に他ならず、科学と技術はかつてあった神による創造を無効化した。全体主義的な「進歩」を享受しているかに見えた人類は、実は疎外され自己の消滅を準備させられている。監獄は受刑者にとっては断絶された非日常空間であり、処罰を加える者にとっては継続する日常空間である。非日常空間と日常空間、被観察者と観察者の違いが消滅した後に不服従者と服従者をどのように区別し抹殺する規律が想定され得るのか。

久美のため息

中原昌也

久美は俗に言う「ブチュミ」だった。酔うと何かにつけ、男性にキスを強請る。以前、そのような女性はよく「キス魔」と呼ばれたものであるが、現在ならば「ブチュミ」。唇が人一倍大きい印象を受けるのも、その渾名の起因となっているに違いない。

こうしていかにも彼女がユニークかつ魅力的な女性であることを、私が注目しているように読者から受け止められているとしたら、それは大いなる誤解であろう。実際には何の興味もないし、正直彼女の存在が（シラフであるか泥酔しているか関係なく）視界に入ってくれれば「勘弁してくれよ」と心の中で思わず呟いてしまう。それでも彼女が急に乗用車に撥ねられて顔面血だらけにしてコンクリートに横たわったら「救急車！」と叫んでしまうに違いない、と思ってはみたものの、後々感謝などされたりすれば面倒臭いし、出来れば何事もなかったのように過ぎ去ってしまうのが正しい。

正直なところ彼女は鬱陶しい。端的に言って不愉快であるのは間違いない。

彼女という存在を発生させたあらゆる事情を、自分は呪って止まない人間のひとりであるのは認めざるを得ない。犯罪として罪を問われないのであれば、過去に戻って彼女を産む前の両親に出会って暗殺したであろう。だが、殺意など如何なる人物に対しても感じたくはないのだが。

私は死刑反対論者である。どのような事情であっても、この世に罪人などいない、という考えではなく、「そういった事情であれば全ての人間は罪人である」という考えの方が近い。たった一人の罪人など、存在しない。あらゆる人間が引き起こす事象が絡み合って、一つの事件が起きる。それは一個人だけが原因であるわけでは決してないからだ。一般的に無関係だと思われるものも、精査すれば間接的な原因となりうる。かつて空が黄色いと感じただけで他人を殺めた若者がいるように、私が着ているシャツの色が灰色だったために無害なはずの子犬が、近所の中年女性に凶暴としか言いようのない表情で喉笛に噛み付くことだってあるのだ。

とにかく様々な諸事情が絡み合って、ますます「ブチュミ」に腹が立ってきた。

それから約二週間後……。

昼間の暑さで混濁するような意識から、やがて夜の覚醒した時間へゆっくりと移行していく。

何もない闇の中に、実体の明瞭でない、いくつも宝石のような眩いものが、まるで生き生きと主張を始めるように、月の灯を得て突如輝き出す。日中の不毛な物体たちの沈黙の時間が終わると、身を潜めていた空間から、ラジオ番組でも放送するように、尋ねてもいない事情を語り尽くすのだ。その出自の物語には特に始まりも終わりもなく、いい頃合いを見計らって、ふと始まり、ふと終わる。

カラスがイビキを堂々とかいて眠らないように、闇の中以外では完全に姿を消して。

日中の光の中では逆に全てが輝き過ぎて、何も判別できないが、この時間だけは違った知覚が働いた。朝の通勤時間に匹敵するような、混雑を感じる時もある。何も喋らないばかりか、物音ひとつ出さずに黙々と動く。

道行く際に手にしていた小冊子は『デリヘル禅入門』だった。

「新宿や池袋などの歓楽街と比較して、渋谷はピンサロやセクキャバといった店舗型風俗が非常に少ないのが特徴。代わりに栄えているのが「デリヘル（ホテヘル）」などの派遣型風俗が多い。一万円から遊べる激安店、AV女優や芸能人の在籍する高級店、ギャル、素人、熟女、人妻、ぽっちゃり専門店と、渋谷にはあらゆるジャンルのデリヘルが揃っている。ということで、このページでは、渋谷のおすすめデリヘル店をご紹介したいと思う。

渋谷のデリヘルの口コミや評判が気になる方は、ぜひお読みになっていただきたい。

渋谷デリヘルの特徴は、新宿や池袋と比べて「高級デリヘル」の数が多いという点。

道玄坂の風俗街の真横に高級住宅街「松濤」があることや、オフィス街にIT起業家や実業家が集まっていることも理由の一つだ。

高級店にはAV女優や元芸能人などが在籍しているお店も多く、有名芸能人が働いているお店も渋谷にある。

また、一～二万円の激安～大衆デリヘルも充実しているので、ギャル・人妻・素人系の女の子と思う存分遊ぶことが出来る。

そんな渋谷で人気のデリヘルは以下の八店舗

渋谷ベン・ハー

やりすぎ小金治

モーターヘッド松濤

ゾドムとゴモラ

ハーダーゼイカム

男はつらいよ！望郷編

タツノコプロ

ヒデとロザンナ

渋谷の激安店といえば、激安デリヘルの代名詞「グラッチェ」グループ。渋谷のみならず都内十七エリアで営業している、三〇分三、九〇〇円から遊べるお店。

もう一つ、六〇分九、八〇〇円の「サークルジャークス」も有名だが、どちらも値段相応の女の子が来るので、期待のし過ぎは厳禁。

激安デリヘルを個別に回ってきたときの様子は以下を参照のこと。

渋谷の大衆デリヘルで特に人気なのは「鬼将軍」「小春日和」の二つ。

その他「虚栄のかがり火」「ひょっとこ大将」「お代官」「地底探検」なども人気。

いずれも渋谷で十年近く営業を続ける老舗店舗になる。六〇分一万五千円～二万円の範囲で遊ぶことができ、私の経験上、大衆店のランキング上位の人気嬢を指名するのがデリヘルでは一番コスパ良く遊ぶことが出来る。個人的には、高級店で九〇分五万円で一回遊ぶよりも、九〇分二・五万円の大衆店で二回遊ぶ方がお得で満足度も高いと思っている（女の子のビジュアルはある一定のランクを超えると数万円の差は出てこなくなるため）」

まだ夜が明ける前に携帯電話が鳴った。住んでいるマンションの近所で殺人事件が発生、コンビニで立ち読みしていた大学生一名が店内に激突した被疑車両に轢かれ意識不明の重体との報告。連絡を受け南神田警察署へ向かうと「検死要請が入っている。原田病院へ行け」との指示で、すぐに被害者の遺体が搬送された病院へタクシーで向かった。病院に着いて、救命センターに入り、ストレッチャーに寝かされている被害者を確認した時、まだそこに横たわる彼の名前は報告されていなかったので、さしたる悲しみはなかった。手には未だ読んでいる途中の漫画雑誌が握られていたのが印象的。その遺体は、私にとってまだ単なる「殺人事件の被害者」だった。ベッドの脇で彼の名を何度も呼びながら、まだ温かさの残る傷だらけの彼の体を懸命にさする母親の姿を見るまでは。その後、被害者支援にあたり、彼の母親から彼が懸命に生きた人生についての詳細を聞き、彼は私の中に息づいた。これはみんなに伝えなくてはならないと思った。全ての読者に、そして、法廷へ、彼の人生と遺された被害者遺族の声を届けなければならない。彼の人生を知らずして、「その先にあったであろう多くの可能性を閉ざされてしまった無念」を伝えることはできないだろう。彼を愛する人達の声を聞かずに、彼を失った悲しみは届けられない。それらを伝え初めて、その人生を閉ざした加害者へ罪責を問うことができるのではないか。時に、人には肩書きがつく。私達のように「ノンフィクションライター」という肩書きだけではなく、地域の中でも、「誰々ちゃんのお母さん」であったり、「誰々さんの息子さん」であったり。そういった肩書きは、ある意味、その人の本当の部分を覆い隠してしまうことがある。私は「被害者」も同じだと思う。多くの捜査員は、事件の内容は把握していても、その事件で被害にあった「被害者」としてしか認識しない。どんな人生を歩んできた人なのか。どういう性格の人なのか。どんな夢を持っていたのか。理解せず、真の意味でその名前を呼ぶことができない被害者のために、執筆を尽くせるのか。私が物書きでなく、子を亡くした親の立場であるなら、そう思ってしまうかもしれないと感じた。やり場のない怒りや悲しみから、捜査側にさえ心を閉ざしてしまうかもしれない。「あなた達は仕事だからやっているんでしょう。」「本当に亡くなった被害者のことを考えて、そのために仕事をしていますか。」そう叫んでしまうかもしれない。寝ずに捜査を尽くす警察官の実情を知っていながらも、なお、そうしてしまうかもしれない悲しみを想像した時、心が震えた。被害者の親から話を聞き、その心情を小説という形で記録化して欲しい。その指示を受けた時は、ことの重大さにただ唸るしかなかった。心が震えるような悲しみをどのようにして言葉にできるのか。人に伝えることができるのだろうか。それ以前に果たして聞き出すことができるのだろうか。悩んだ末に出した結論は、自分の嘘偽りのない正直な気持ちを素直にぶつけることだけだった。わかった振りなどできなかった。わからないけれど、理解したい。捜査に携わる者に伝え、生きた調査がしたい。法廷へ声を届けたい。そういう自分の気持ちを言葉を飾らずに被害者の母親へ伝えた。彼女は、黙って私の話を聞いた後、ゆっくりと頷いて、「三二〇〇グラムで産まれたんですよ。」と静かに話し始めた。その後、彼の写真を一枚一枚見せてくれながら、彼が生まれた時の感動や喜び、反抗期もあった成長の過程、そして、これから彼が歩んでいくであっただろう人生への思いを丁寧に語ってくれた。幼いときから読書が好きだった彼。見せてもらった写真に写っている彼は、どれも幸せそうに笑っていた。どんなに地味で暗い内容の本を手にしていても、その表情は明るく輝いていた。私の心には、彼の笑顔と母親の言葉が重く響いた。「この先、お嫁さんをもらって、孫を抱き、その子の成長とともに親になっていく息子を見たかった。大きな幸せなど望みはしない。派手な贅沢も必要ない。平凡でいいから、幸せに過ごす姿を見ながら、心安らかに人生を終えたかった。今は、それが叶いません。親が子供を送り出さなくてはいけない辛さを、言葉に言い尽くせない心の痛みを犯人にも感じて欲しい。捜査に携わる方々に、まっすぐに人生を生きた息子を知っていただきたく、お話ししたつもり。ご苦労をおかけしますが、どうぞご尽力いただき、真実を明らかにしていただきたいと思う。また、裁判官が、公平な立場で裁きを下すということは、理解する。けれど、一時でもいいのです。私達の心に、自分の心を重ねてみてほしい。もしも、子供をお持ちの方なら、自分のお子さんに息子の姿を重ねてほしい。子供をお持ちでない方なら、自分の親御さんに私の姿を重ねてほしい。そうして心に痛みを感じていただいた上での裁きであるならば真摯に受け止めたいと思う。この気持ちを伝えてほしい」作成した文章を読んで聞いてもらった時、彼女は、時に笑みを、時に涙を浮かべながら、静かに聞いてくれた。そして、読み終えた私に向かって、深く深く頭を下げた。その頭がスタンドに当たって、机から地面に落ちた。電球は割れてしまったが、弁償を請求しなかった。被害者遺族の気持ちを直感的に理解することは出来なくても、その気持ちに心を寄せて、真実を作品に黙って落とし込むことは出来る。被害者のために尽くす生きた静謐な文芸作こそが、真の被害者支援につながるものなのだから。

名医の落とし子

矢田真麻

　二〇一九年十一月より東京国立博物館で開催された『人、神、自然——ザ・アール・サーニ・コレクションの名品が語る古代世界——』展に、紀元前十四世紀エジプト（新王国時代、アマルナ文化）製の女性像頭部が出品されていた。

　幅・高さ十センチメートル、奥行十五センチメートルほどの、像の重みは想像しかねたが、片手を広げれば支えられそうだった。たっぷりとした両の耳たぶが親指・小指の付け根に引っ掛かり、手のひらから転げ落ちるのを防ぐとともに、異様に発達した後頭部へ指を伸ばせば、像は重みを預けるだろうと思われた。瞳や眉に僅かに彩色の跡が残るが、ほぼ砂色の陰影で出来た女の顔に、強調すればエイリアンにも見えてきそうなかたちの頭蓋骨が組み合わせられていた。

　その形状が子供を表していること、「唯一絶対の神であるアテン神の役割」つまり創造主としての神を「芸術的に表現した」可能性があることを同展カタログは指摘している。確かに頭高の約一・五倍の奥行は、赤子の単純な写しとしては不自然なのだが、頭部全体のサイズは片手を添えて抱き起こすことを想起させるものだった。

このアテン（アートン）神信仰こそ、フロイトが『モーセと一神教』でユダヤ教の起源とした信仰である。

『出エジプト記』において神は、「汝わが面の前に我の外何物をも神とすべからず」「汝自己のために何の偶像をも彫むべからず」と言った。

フロイトは、「彼〔引用者注：モーセ〕の神はこうして名前も顔も持たなかった」「神の姿を造形することの禁止であり、見ることのできない神を崇拝せよという強制である」と書いた。

特異な言い換えがなされている訳ではない。だが、モーセこそがユダヤ人を「つくった」と考えた人の手で「我」という話者は消えた。この操作によって、「掟」と私の経験との関わりは可能になったのである。

数年前、《何か》を産み落とし祝福されるが、具体像は分からずじまいである夢を見た。その夢が知人の息子の出産と時間的に重なり、一種の予知夢とも考えられる事情を考察したのが『未生の生命』である。ユングの言葉を借り、私の周囲を漂う「雲」が現実の赤子のかたちに射抜かれようと集まった一瞬が感知されたのだと、従って夢に現れたのは、知人の息子とは別の存在なのだと結論した。

だが今や、フロイトの記述をパラフレーズすることで〈彼女の子供はこうして名前も顔も持たなかった〉〈子供の姿を造形することの禁止であり、見ることのできない子供を愛せよという強制である〉とも言ってのけられるのだ。

これらの文は私に、次のような再考を迫る。

夢が、外部からもたらされた掟に基づくのであるとしたら？

生物学的な母ではなく作者としての生を優先させるのだ、という本人の素直な決意と実感だけで、果たしてこのような性質の《子供》が出現するものだろうか？

《誰か》が私に唆したことを、私が忘れてしまっただけなのではないか？

フロイトが挙げるモーセの実績は三つある。一、エジプト脱出の成功により「神の恩寵」を証明したこと。モーセは実はエジプト人の政府高官だったのであり、伝承ではカナンの地に至るまで数々の苦難を乗り越えていくが、実際の移動は穏便になされたのではないかと述べられている。二、割礼の習慣を与え「聖化のしるし」としたこと。ただ、割礼も元はエジプトの習慣であり、ユダヤ人を「エジプト人と同格にする」ものにすぎなかった点が指摘されている。三、前述のアートン神信仰から厳格な一神教をもたらしたこと。アートン教に神の人格の造形は見出されないものの、太陽崇拝には依存していた。モーセと彼の配下の異民族ではその必要もなくなったため、信仰が更に峻厳になったのではないかと推測されている。その結果生じた「造形的表現一般の禁止の苛烈さ」が「欲動断念の宗教」に発展した点をフロイトは評価し、偉大なる神の代わりに「偉大なる男」とモーセを呼ぶのである。

　これらに類似する実績を当てはめようと画策できる《誰か》が私の人生に存在しなかったか？と顧みていくうちに、一人発見することができた。以前、婦人科系の病にかかったときに治療手術を施してくれた医師である。一、「恩寵の証明」は手術の成功と考えてよいだろう。二、手術は病変した箇所を円錐状に切除するものであり、割礼のように外から見える訳ではないが「しるし」は残った。三、術後しばらくは運動、飲酒、入浴、性行為の禁止という「断念」が課された。血流が少し強まるだけで大出血の危険があるのだよ、と説明する医師が、本当は「興奮禁止」と指示書に書きたいのではないかと感じたことを覚えている。彼はこの手術の権威、つまり名医だったが、手術を施せる人間は当然、他にも存在する――ひとまず即物的に表現すれば、以上三つの対応関係がある。

　そして、モーセ五書の記述と『モーセと一神教』の説明とが隔たりを持つように、名医が発した元の言葉は違った風合いを持っていたはずである点を頼りに、思い出せるやり取りがふたつある。

　ひとつは手術の終了直後に彼からかけられた〈よし、これでキレイにとれた。あなたは今、ヴァージンだからね〉という文句である。手術の性質（想定よりも広範囲に及んだのだろう）を端的に示しつつ、感染源との行為の痕跡もクリアになったよという彼からの励ましに私は感謝した。事前に看護師から、お酒が飲めるひとは麻酔があまり効かないよと言われていた通りだったので、痛いわと笑い転げたことに彼が驚き、触発されて出たジョークでもあって、どの患者にも同じ言葉をかけているのではないらしかった。

次の行為には慎重になりなさい。とか、とはいえ仕事の忙しさにかまけて、冗談としてのヴァージンをいつまでも守るなんてことのないようにね。という警告も読み取れたが、次第に忘れていった。人為的な恩寵のニュアンスが、少し煙たくもあった。

それから毎年定期検査を受けている。あるとき〈セックスなんてあまりするものじゃないですよ。患者さんを診る僕の立場では、そう言わざるを得ない〉という声が隣の問診室から響いたのがふたつめである。看護師と検査の支度をし、診察台に横になり待っているとき、不意にこのように彼の言葉が聴こえてしまうことがあるのだった。

夫婦間の感染例も決して稀ではないと告げつつ、〈子供をつくるのなら別だけれど、その後はもう、しなくたって良いのだからね〉とトルストイのようなことを言うので思わず耳を傾けた。しかし同じ内容を、未婚の私が彼から説かれたことはない。つまりいずれもモーセの掟のように、広く言い渡される言葉ではなかったのだ。

触れ合っても子供はつくらない、というルールを決めていたのは、手術の必要が発覚して名医と出会う前の私だ。その頃、後に感染源になったと思われる人間の言動がまるで《神様》のそれであるかのように抵抗したのも、遥か昔の出来事のようである。

病は局部に居着いてから、十年以上をかけて進行することも珍しくないという曖昧さで、「逆算」することはできない。手術を待つ数週間、苦悩が透けてくる相手の姿を眺めながら、感染源は更に時を遡り、他の人間でもありうるのだよと言ってやるのが公平ではないかという考えも時折萌した。だが毎回、何かに押しとどめられた。例の文句とともに手術が終われば、もう構うことではなくなっていた。

最も力弱かった抵抗は何だろう、と探るうちに、古い記憶が現れた。彼は泉鏡花の文と成人前の私とをまったく同じ言葉で讃美したあと、〈君は病に侵されて、もうすぐ消えてしまうのではないか。この世の人とは思えないのだが〉と続けた。愛を見て取れるはずの眼が不意に、迫る死という幻影のための道具に変わって待ち受けていたことを、決して容認できない若さにこちらだけが立っていた。

十代最後の年は、相手にとっては魔法だったらしい。光栄だが『外科室』の読みすぎだろう、といなす術も当時は持ち合わせておらず、自覚症状は何もないと、やっと答えられただけだった。それ以来、書くとはこのような幻想を撃つこと、他人がどんな画を描いてもそこから脱出することが私の指針となっていった。

あのとき彼が魅入られてかけた病の疑いが、十年経ってこの体に発現したのだ。そして私は病の出処という疑いを、相手の体に返したのにすぎない。彼が参照した名高い「観念小説」のメスは、伯爵夫人の想い人である外科医が握っていた。彼は恋人の資格だけで、それを現実に持ち込もうとしたのだろうか。メスは最終的に名医の手に委ねられ、彼女は執刀を一契機に死ぬのではなく生きることになった。当然のごとく。

触れ合っても子供はつくらない、という私のルールを、子供をつくるのでなければ抱擁もない。浄化された抱擁から造形的存在は生まれない、と転倒させたのが名医だった。《抱擁の禁止／浄化》という滑稽なルールは、子を成す意志を持つ場合にのみ引っ掛からずに通過することができる訳だが、患者たちが個々に日常を、体の触れ合いを回復するうちにやがて忘れ去られてしまうだろう。

数年の月日が経ち、私は夢で更に〈見ることのできない子供を愛せよ〉と言い直したのだ。彼がこのことを知ったならば、夢で感知するのではなく現実で姿形を見ようとしなさいよ、と苦言を呈したことだろう。

モーセは二人の人物から成るとフロイトは主張している。一人は出エジプトを成功させ、一神教と割礼の習慣とを伝えたエジプト政府高官で、その「高度に精神化された宗教」に耐えられなくなった民衆の手で殺害された。もう一人は約一世紀の時間が経過したのち、カデシュでの宗教創設者となった祭司である。一地方神に過ぎなかったヤハウェはそのときユダヤの神に定められたが、やがて忘却されたはずのモーセの神の観念が蘇り、次第に影響を及ぼすようになり、ついに「勝利」を収めたのだと。

そのため伝承は長い期間の圧縮と無視を行い、のちの時代に成った戒律と制度を立法の時代に遡って組み入れることで辻褄を合わせようとした。モーセの神と火の神ヤハウェ、そしてエジプト人モーセと祭司モーセという「二重性」を「伝説素材の不器用な改作者」は引き受けたので、時に「重大な不正」となる描写を導入してしまっているのだと。

私は夢の子供と他の子供とのあいだで、このような描写に誘われることを否定できない。フロイトは母であることを「感覚の証言」により明示されうると書いたが、感覚から切り離された出産の夢を見た人間が、始めに思ったことはこうだ。〈私は、子供を持つ親――実在のでも架空のでも――その人々が書いた話にただ『夢の』と挿入すれば、それで私の物語になる。この容易さ、身軽さ――抱きしめ、あやしてやるべき体はない――は、私のように夢を見た者の特権である。〉この強がるような一文には、一神教の抽象性を評価するフロイトの影がさしているが、「改作者」の末裔である小説家が、それを誇りとする様子もまた見て取れる。

しかしもうひとつの二重性、名医と私とのそれは、果たして感知されるだろうか？

はじめのうちそれは、二人の性別の違いや医者と患者という関係上、困難であるように思われた。仮に名医をモーセと同じ「偉大なる父」の系譜におくならば、同じ大胆さで手術を受けた者たちを《処女であり母》と呼ぶことも許される。その先には《息子は神の似姿》だという帰結が待ち構えていて、私はもはや『モーセと一神教』との距離を見失ってしまう。

父は自由な人で家にもあまり寄り付かなかったが、ならばいっそ「父を騙る者」に成り変わってもらえばよい、真偽はさておき、こちらが気に入った話だけを選んで聴きにゆくような気楽さで彼と付き合えばよいのだと、そんな希望が生ま

れたのは例の手術を経てからで、最近になってようやく実現しつつある。

　かつて父に護られた、という感覚を持っていたのは、彼が一度きり娘をつくったとき、決して「ヴァージンとして」そうした訳ではなかったからだ。思えば病の出処となった人間は、まっさらな私に出会いたかったとよく口にしたが、それは体が生じたあと、ある種の典型であるような魅力が育ったあとで発された言葉、数年時を早めても同じ結果が得られただろうと侮る言葉にすぎなかった。

　だから名医が〈あなたは今、ヴァージンだからね〉と言ったとき、本来は踏み込めるはずのない領域が現れた。そこでは恋人の夢想が飛び越されるとともに、父もまた、揺り動かされる存在に変わったのである。

　その名は愛を知る直前をさし、十代前半まで時を巻き戻すけれど、思い出すことは難しい。私にとっては書き始める直前の時期でもあった。愛と記述を取り外せば蘇るのだろうか、と考えてみても、当時別のことをしていた手の記憶、鍵盤の上で疲れているそれが出てくるばかりだ。幼児期の、限られた鮮明な記憶が支えになるのとは対照的である。名医は直感的にこの困難、反駁する気にもならない遠さを見越して、思い切りよく言い放ったのだ。

〈見ることのできない子供を愛せよ〉はもっと拡散の方向へ放たれているはずだ。しるしは各人の内部に秘められ、ルールは個別につくられ、愛はそこに生じてくる。

　名医は一体何人に手術を施してきたのだろうか。患者ごとにかける声を変え、その都度、現実の子供の出現に重きをおいてみせたとしても、彼らの姿を見ることはないだろう。私は夢の子供に姿を明かしてもらおうとはしなかったし、これからもそうした収束を求めることはないだろう。

　われわれはここで、手を取り合ったのだ。


　訳者・渡辺哲夫の解題によれば、『モーセと一神教』にはいっとき、「一つの歴史小説」という標題が付けられていた。モーセがユダヤ人を「つくった」という着想と時を同じくして、小説の呼称が検討された様子がアルノルト・ツヴァイク宛の手紙から窺える。

　不採用の経緯は特に書かれていない。着想が揺るぎない結論に達したと、フロイトが判断したゆえであるのはもちろん、「文学にとっての伝承の意義」はその不完全さを「空想」で「埋め尽くすこと」、「意図通りに造形すること」の自由にあるという彼の認識が、造形禁止の力を扱う文を小説にすることを妨げたのでもあるだろう。

「依然として私は私自身の仕事を前にして動揺しており、本来ならば作者と作品のあいだに存在しているはずの統一性と相互依存の意識が欠如しているのを感じてしまう。これは、たとえば、結論の正しさについての確信が私に欠けているという意味ではない。」と彼が訴えるとき、その動揺に私は敬服する。作品の異物性は、小説家にとっては単に熱望される事態であるし、結論の正しさなど要請するものではない。彼の自己批判には同調する資格がないことを、強く感じるからである。

　夢の子供について書こうとすると、同じ場所に突き当たる。かれはどう考えても、空想を膨らませて自分を描写するようにと言いに来たのではなかった。むしろ用心を重ねるようにして、現実側の姿の見えない子供、会うことのない知人の息子と同時に到来したのだ。

　このような子供が過った女とは何者なのか？彼女の頭もまた、例の女性像頭部のように異様なのかも知れない――。一人では、この点を書くしか方法がない。名医が現れて一緒にダンスを踊ってくれたのは、フロイトのおかげである。

　彼が彼女を《処女であり母》として「つくった」のか否かは、また別の場所で語るべきことだろう。

[引用文献]

東京国立博物館、ザ・アール・サーニ・コレクション編『特別展人、神、自然――ザ・アール・サーニ・コレクションの名品が語る古代世界――』東京国立博物館、二〇一九年。

『文語訳 旧約聖書 I 律法』岩波書店、二〇一五年。

ジークムント・フロイト『モーセと一神教』渡辺哲夫訳、筑摩書房、二〇〇三年。

「坂」の詩学

三田洋

坂という文字はなぜなのか良くわからないのだが、わたしをめぐる生存というものに関りがありそうだ。大げさに言うなら「存在＝坂」ともいえたりする。生誕地は横須賀市、その後広島県呉市に移住し、小学校に入学する。横須賀市も呉市も坂のまちとして著名だ。両市とも単なる坂の街ではなく典型的な坂の街だ。坂が多いというだけではなく、そのほとんどが坂で成り立っている。

急な坂道　駈けのぼったら
今も海が　見えるでしょうか
ここは横須賀

山口百恵の「横須賀ストーリー」が流れると、なぜか懐かしさがこみあげてくる。生まれて一年位しか在住しなかったので記憶はないはずなのに不思議だ。「急な坂道」が横須賀の特徴なのだ。母親に抱かれて歩いた急な坂道の感触や汐の匂いとかが心身に染み込んでいるのだろうか。歌う山口百恵も横須賀育ち、作詞の阿木燿子はその隣町の横浜生まれだとか。両市とも汐の匂いと坂道の街だ。そのことが懐かしさや情感を共有させるのかもしれない。

あなたの心　横切ったなら
汐の香りまだするでしょうか
ここは横須賀

横須賀に比べれば次に住んだ広島県呉市の記憶・イメージは溢れんばかりでその奥行きも深い。海の香りいっぱいの呉駅を降りて少しばかり歩くとまもなく坂がはじまり、そこから延々と緩かな坂道がつづく。何年か前、「この世界の片隅に」というアニメ映画がヒットしたが、その主な舞台が呉市だった。その映画を見ながら、見覚えのある風景に出合うと、つい声が出てしまう。呉駅は海に近く海を感じながら駅を降りると、まもなく坂が始まる。やがて銭湯の煙突がみえ、そこを少し上ると、小さな十字路があり、またそこを右へ曲がる。二、三分歩くと、まもなく見えてくる坂の上方に私の家があった。

坂の上には丘や頂上がある。知らない坂にはそのどちらがあるのか判らない。丘には住宅があったり草原があったり牧場があったり、あるいは尖った崖しかなかったりする。見下ろせば家並みの集落が見えたり港が見えたり海原が見えたりする。そのように坂は期待と想像力の通過場でもある。それに坂は何となく安定感がない。その勾配の度合にもよるが不安感や時には快感のようなものが伴うこともある。

呉市のベランダからは左側に灰が峯という山が見え、その雄大な姿に癒される思いがしたのを覚えている。小学校は坂の中腹にあり、通学路の丘からは遠く銀色に輝く海を見下ろすのが楽しみであった。

少年の丘　　三田洋

学校へかよう丘からは軍港がみえた
影絵のように船がすこしずつきえていくと

そこに憲兵がたつようになった

追われても海がみたかった
土手もみちもカーキいろで
まわりはずっと冬なのに
とおくがひかっているのは
すばらしかった

買ってもらったときから
かばんにはがいこつがはいっていて
防空ごうにとびこむとき
せなかが音をたてたりした

夜でも丘にのぼった
サイレンのならぬうちは夜店がみえた
ながくいるといつもなみだがでた

まわりはまっくろなのに
ずっととおくで
灯がひかっているなんて
どうしても信じられなかった

詩集『青の断片』より

この作品が私の詩のはじまりといってもよい。もちろんこれは詩集とか同人誌に掲載したものでもない。メモのようなものとして紙切れに書いて隠していたものだ。恥ずかしくて到底人目に晒したくなかった。だから詩作は「坂道」から丘という結実をめざす創作過程、つまり坂は創造主なのかもしれないと思ったりした。坂には登りがあり下りがあったりする。下りは少し怖いが、登りも怖い。それがどこへつうじているのか、その先に何があるのか。知らない街の坂は恐ろしい。

それでもわたしは「坂」が好きだ。憑かれているといった方がよいかもしれない。いま住んでいる東京も坂の街と言ってもよいだろう。たとえば、都心でも三宅坂、赤坂、一口坂、乃木坂、神楽坂、道玄坂、宮益坂など坂が多い。また谷は坂の連れ合いだ。四谷、市ヶ谷、渋谷・日比谷・茗荷谷、千駄ヶ谷など都心でも谷が並んでいる。

因みに『広辞苑』で「坂」をひくと、

①一方は高く一方は低く、傾斜している道。②比喩として、物事の区切り・境。「五十の――を越す」

とあった。やはり「坂」は②のように人生と深く重なり合っているのかもしれない。

坂はしばしば詩歌に登場する。坂がポエジーに、見事に結実した作品がある。

坂の街　　北川朱実

立っているだけで
ころがっていく

坂の街に住んでいる

一万年前は海だったのか
人と話をするたびに
口の中に砂がたまる

濡れた終電車が
警笛を鳴らして出発する

一日は
本当に終わったのだったか

まるい天体のまるい夜を
ころがりながら歩く

アパートのどこかで
電話の鳴る音がする

母は
部屋の隅の黒電話にいつも
白いレースをかぶせていた
届けられた言葉がこぼれないように

夜中に　稲妻が走り
暗闇の中
前のめりに眠る小さな動物園が
あらわになった

予約席に
予約した人は来なかったのか

明かりのついたレストランが
テーブルごとすべっていく

坂の街に住むとは、本当は異様なことなのだ。下の道を通りながら見上げているだけでは強く感じないかもしれないが、実は「立っているだけで　ころがっていく」し、「レストランがテーブルごとすべっていく」のだ。このように感覚が鋭敏な詩人には気づかれてしまう。実は坂道に住んでいる人は窓から外を見てはいけないのかもしれない。詩人の眼には家や建物は倒れないように斜めの土地にしがみついて見えてしまう。

置いてきたもの

中井ひさ子

神楽坂には渡邊坂があります
ゆるやかな坂道が
どこまでもつづいています

曇り日には風のかたちが見えます
気づくとうしろから
小学生のころの
渡邊先生の足音が聞こえてきます
どこにいても
なじめない子は
あいまいな沈黙を
お手玉にいれて遊んでいました
ほころびたお手玉を
先生が繕ってくれました
ありがとうがいえませんでした

名前が同じというだけで
わたしを
思い出さなくてもいいですよ
ゆっくり
先生は通り過ぎていきました
時の底にはいくすじもの
置いてきたものがあります
雨が降ってきました
風のかたちがくずれていきます
お手玉が一つぬれています
渡邊坂は渡邊坂です

坂は道の中でも強く深い奥行きやイメージを抱擁している。
その人物の生、誕生、過去、歴史、未来すべてを抱擁していつもそこに存在している。どこへ行っても、居ても、逃げようとしても何もできない、その人物の人間存在そのもののように居座り続ける。それが坂道だ。

つぎに拙作も挙げてみよう。

季節のかけた坂道の下り方

三田洋

久しぶりに便りがあって
二人の旧友とそれぞれ再会してみた
和一くんとは十五年ぶり恵さんとはたぶん十
三年ぶりだ

それにしてもこれはほんとにあの人なのか
そっと盗み見してみるが二人ともしっくりしない
埼玉の川越へ引っ越したという彼女は
いつも顎を気にしていた
そういえば以前より尖っているが
まったく気配が違ってしまっている

そのころまだ四十代で子供っぽい目をしていた
和一くんも
つかみどころがないほど変わってしまった
何か嬉しいことがあって長い握手をして別れ
たことがあり
その体験を照合してみるがそんな熱い景色は
戻ってこない

歳月は十数年でひとを別人にさせる
怖いような実相がそこにはあった
そしてじぶんもたぶん同じ戸惑いを与えたに
ちがいない

それではまたいつかと

それぞれ別れたが
どうすればよいのだろう
篤く親しかった人たちはもうどこにもいない
通いなれた夜道もゆがんで
ここをどのように下っていけばよいのだろう
するどく欠けた歳月のほとりを
どのように帰っていけばよいのだろう

人の世を坂道にたとえれば、どのあたりから下りに設定すればよいのだろう。どこかを目指していけば、高みを目指していけば、頂上までは登りであり、帰りは下り坂ということになるが、人の世はそうはいかない、登りもあり、下りもあるだろう。横道もあり、道から逸脱することもあるだろう。その逸脱した横道は何と名づければよいのだろう。

個人的に最も深みに存在している坂道は四歳の頃の記憶に沈む薄暗い坂道だ。そこはたぶん広島県呉市から広町という海水浴場へ通じる市電通りの風景にちがいない。まだ昼間だったはずなのに、薄暗い夕方の風景としてわたしの深いところへ収まっている。その海で伝染病にかかり寝たきりの生活を強いられることになる電車通りの坂道だ。自分の少年時代を支配する病いの発端だ。人それぞれだが、その時代を不幸と呼ぶ場合が多いだろうが、かえって良かったと感じることもある。あの広町への坂道を息たえだえ昇る市電の光景がわたしの深いところで疼いているのだから。あの電車は血液と肉の塊でできた生き物だったにちがいない。そうでなければそれがわたしに文学を、詩歌をもたらしてくれる原動力となることはできないはずだ。

ユダヤ人街の幽霊

パウル・レッピン
DAS GESPENST DER JUDENSTADT
Paul Leppin

川本奈七星［訳］

今では高くて風通しの良いアパートが広い通りを形成しているプラハの中心部には、十年前にはゲットーがあった。いかがわしく薄暗い一角では、どんな天気もカビと湿った壁の臭いを吹き飛ばすことはできなかったし、夏には開いたドアから毒々しい息が漏れ出ていた。ここでは何もかもが汚物と貧困の悪臭を放ち、ここで育った子供たちの瞳からは、ぼんやりとした、ぞっとするような退廃が瞬いていた。道はときどき低いアーチ型の高架橋のところで家々の腹部を通り抜けたり、突然横にカーブして目隠しの壁の前でだしぬけに終わったりする。がらくたを店の前のでこぼこした石畳の上に積み重ねた商人たちは、狡猾そうな表情で通行人に呼びかけていた。家の門の中では、口紅まみれの女どもがもたれかかり、卑しく笑いながら男たちの耳元でひそひそと囁き、黄色や黄緑色のストッキングを見せつけるためにスカートを持ち上げていた。白髪を束ねて顎の緩んだ老遣手婆たちが窓から挨拶し、手を叩き、手招きし、罠にかかった一人が近づいて来ると熱心に満足げに喉をガラガラ鳴らした。

この地ではいつも淫らな行為が行われ、夜には赤いランタンが訪問者をおびき寄せていた。そこには、どの家も恥ずべき安宿と化した路地、悪徳が飢えと共に眠り、枯れた魅力を持つ肺病やみの女たちが惨めな商売を営む酒場、犯罪が囁き目配せしながら年端もゆかぬ少女たちを凌辱し、その無力でいぶかしげな純潔をぞっとするような報酬のために高く売りつける秘密の地下牢……などがあった。そこには、絹のトレーンドレスに身を包んだ豊満な娼婦たちが絨毯の上を踏みしめて気取って歩く、上品ぶって豪奢にしつらえられたパブがあった。

シナゴーグからそう遠くないジプシーロードの荒れ果てた小屋の隣の二階建ての建物の中に、「サロン・アーロン」はあった。壁のモルタルは一部が剝がれ、窓は埃と雨で縞々に汚れているにもかかわらず、ひどい環境の中でその家はほとんどよく手入れされているという印象を与えた。日中は静かだったが、ごくまれに、踏み減らされた階段を超えて暗い玄関ホールに忍び込み、上着の襟を立てたまま慌ててやってきて、一時間後には明るいところへ去っていく客もいた。しかし夜になると、大きくて明るい、震えるような命が隠し井戸の中から立ち上った。窓は燃えるように赤く、その中では笑い声がかごの中の囚われた鳥のように飛び交っていた。

そこにはヨハンナの笑い声もあった。それは明らかに他の声とは区別できる、熱くしなやかに、情熱的に囀る声であり、時には朝の静寂の中で明るく愛を歌うヒバリの声のように響き始めた。彼女は、ヨハンナは、男たちが自分のところへ来たので喜んでいた。彼女は、他の仲間たちよりも求められていたのだ。なぜなら彼女が、他の怠惰な肉体には宿っていないが彼女の中に満ちている、不安と苦悩まみれの不穏な甘美さを与えてくれたからだ。それについては彼女も不思議に思っていた。一緒にいる女たちには退屈で面倒な義務にしか思えないこの仕事は、彼女には愛への憧れと、体の中にちくりと感じる、瞳に少女のような輝きを燃え立たせる棘を与えてくれた。幾度ものキスで傷つきひび割れた唇で男たちの口をしっかりと飲み込み、最初の抱擁に伴う花嫁の悦びに繰り返し満たされた。耐えがたいほど長く孤独な、罪深い仕事から離れている間、彼女は家の外の通行人たちの足音に聞き耳を立て、扉のベルが鳴ると表情に炎が飛び、ため息をついた。愛を飽き飽きするほど味わい尽くす日もしばしばあったが、ぼんやりとした頭と痛む手足でベッドに横たわる時には、記憶を次から次へと辿り、享受し、耽溺し、そして暗闇の中微笑むのだった。ときどき、特に夏、夜明け前にやっと寝床に就くとき、不安が痛みにまで高まることもあった。そしてシャツを着て開いた窓まで行き、ゲットーの中を見下ろした。彼女は裸の腕を伸ばし、血の雫のように温かい雨を肌に感じた。娼館の眠たげな灯が明滅する街。いかがわしい路地で、丸太のような影がうずくまり、遠くではバイオリンの音やぎこちない楽器の音が享楽的な気分を誘うところ。熱狂的なメランコリーが、彼女の顔を涙の中につからせた。夜風が優しく彼女の胸へと手を伸ばすと、彼女は頭を横にし、唇を歪めてキスをした。

サロンが華やかに照らされ、ワイングラスが大理石のテーブルの上で音を立てる夜、彼女は音楽に合わせてダンスを踊った。彼女が苦しむ官能性は、彼女の手足を柔らかく投げやりにし、スカートをひるがえして、欲望を駆り立てる荒々しさに巻き込んでいった。その荒々しさは、彼女のこわばった表情を驚くほど美しくし、他の芸術よりも挑発的で魅力的な印象を与えた。彼女は一人で踊ったり、客たちと一緒に踊ったりした。彼女のほっそりとした体は、踊っている人々の手の下で曲がり、たわみ、押され、震え、そして凍てついた。もし誰かが金髪のヨハンナと踊ったなら、彼は確かに彼女と寝室へ入ったのだろう。彼女の口は貪欲で熱っぽかった。男たちが彼女への道を得れば得るほど、彼女の愛はもっと乱暴に彼女に襲い掛かった。欲望は彼女を震撼させ、麻痺させた。彼女の熱情は従順で、至福へと燃え上がった。

そして、病魔が彼女の体に懺悔を強いる日が来た。ユダヤ人街の腐った壁から、ふしだらな路地から彼女は上がってきて、毒入りのキスをした。彼女の血は灰となり、血管は乾いてひび割れた。彼女は笑いと愛すべき口ごもりを絞殺し、体を赤い斑点で汚し、汚らわしい売春婦という侮辱の中、病院の戦慄する恐怖へと引きずりこまれて行った。熱いベッドに横たわっていると、天井からは思考が重い雫のように彼女の額に降り注いで来た。彼女は、今サロン・アーロンで座って薄いグラスから白ワインを飲んでいる女たちのことを考えた。彼女は、音楽と、自分がダンスのときに着ていた緋色のシャツのことを考えた。彼女は腕を曲げ、キスをしようと頭を投げ出したが、そこには彼女がキスをする相手は誰もいなかった。渇望という悲哀が、彼女の喉に嗚咽を呼び起こし、彼女を絶望させた。

はぁはぁと息をつきながら、ためらいながら、臆病で悪質なペースで数週間が過ぎていった。ヨハンナの病は、思いがけず激しく勃発したのだ。医者が彼女を苦しめた解毒剤も、効き目が無かった。それは組織に巣食い、皮膚の下でちらつき、彼女の肉体の隅々や穴の中で化膿した傷を引っ掻き回し、消え去ろうとしなかった。それは彼女の思考を麻痺させ、淫らな夢で彼女の眠りを汚した。それは呻き声をあげて夢の中から立ち昇り、憎しみと恐怖で現実を認識していた。ヨハンナは男たちの不在に耐えていた。彼女の苛立った体は、禁欲という拷問の下で棒立ちになっていた。灼熱しながら過ごしていた毎日、苦境を増していく毎時間。彼女が耐え切れなくなるまで。ある夜、彼女は病院を抜け出した。窓から庭へ飛び降り、はだしでシャツの上にコートを羽織ったままで壁を乗り越え、路地へ入った。

ひりひりする、至上のむせかえるような期待の中、彼女は街を歩いた。ほどけた髪を顔になびかせ、彼女の瞳は輝いていた。明るく素敵な思いが彼女をさらに駆り立て、幸せで満たしてくれた。彼女は男たちの元へ行きたかった！彼女の足は石畳を飛び越え、筋肉は張り詰めた。遅れて来た酔客たちの影が道を横切り、突然のランタンの鋭い灯が彼女を驚かせ、美味しくて重い、魅惑的な甘美さが、彼女を酔わせた。ティーン教会の塔が彼女の目の前に現れ、星々の間で青白く建っていた。既に目的地に着いていたのだ！カーテンのかかったドアの下で音楽が鳴り響き、女たちの笑い声が赤い窓の文字に翼を打ち付ける……そんな路地がすでにあったのだ。

彼女は立ち止まり、空に張り付いて割れた梁やがらくたを照らしている月を、眩しそうに見た。サロン・アーロンは姿を消していた。鍬と鋤で古い家のかけらというかけらは掘り崩され、シナゴーグの隣には石が置かれていた。瓦礫の間に、たった一枚の壁がボロボロになって直立していた。そしてヨハンナは、それが自分の部屋の壁であることに気づいた。恐ろしくて麻痺しつつも、彼女の目線は更に路地の奥へと進んだ。娼館の色とりどりの灯は消えていて、壊れた屋根屋根からは埃が煙のように立ち上っていた。いたるところで、夜の闇から荒廃が忍び寄ってくる。彼女が病院の湿ったベッドで疫病と闘っている間に、故郷は破壊されていた――。

彼女の喉からは悲鳴が上がり、孤立した地区には恐ろしい振動が走った。彼女の髪がコートの上でなびくと、夜風がそれをはだき、シャツの下を淫らにまさぐった。酔っぱらった兵士の一団が通り過ぎた。愛の言葉に喘ぎながら、寄る辺なく彼らの前で膝をついた。そして、取り壊された売春宿の瓦礫の間で、偶然が連れて来てくれた男たちに身をゆだねた。彼女は次から次へと男たちに身を捧げ、彼女の病気で荒れた哀れな体は疲れることなく瓦礫の深く深くへと沈み込み、愛の熱狂の中で痙攣し続けた。

ある夏から次の夏へかけて、ゲットーはどんどん取り壊されていった。貧困と悪徳が何百年にも渡って幽霊のようにつきまとってきた暗く不健康な隠れ家を、新たな家々が圧殺してしまったのだ。不道徳はハイヒールを鳴らして、郊外の一番外れへと逃げて行った。古い広場に、富裕層や貴族たちのための都市が発展していった。しかし、この年ほどプラハで梅毒がひどく、ぞっとするほど流行したことは一度もなかった。梅毒は家庭に侵入し、若い母親たちに恐怖を教えた。それは愛の微笑みと結びつき、鉛色のにやにや笑いにしてしまうのだ。若者たちは自らに死を与え、老人たちは生を呪うのだった。

パウル・レッピン｜Paul Leppin 1878-1945

詩人、小説家、劇作家。貧しい家庭に育った彼は、一八九七年から病気のために退職する一九二八年までの間、プラハの郵便局員として生活していた。世紀末以降の激動の時代に、淫靡で憂いを帯びた詩で「文学ボヘミアン」の代弁者となり、新ロマン派的なプラハ・アヴァンギャルドを束ねる「春の世代」と呼ばれた。戦前の旧プラハ市街の喪失体験を通して独自の詩人となり、以後、旧プラハ市街の不気味でエロティックな魔力を作品に喚起するようになった。彼の小説は猥褻で冒涜的だと非難されスキャンダラスな成功を収めたが、一方で晩年の詩作品によってボヘミアンの作家オットー・ピックに「プラハのトルバドゥール」として評価された。一九三九年のドイツによるチェコスロヴァキア侵攻の後にゲシュタポに逮捕され、釈放後に二度の脳卒中で倒れ、最後は梅毒の後遺症で死亡した。

[底本] *Prager deutsche Erzählungen*, Philipp Reclam jun., Stuttgart, 1993.

デルモア・シュワルツ 詩二篇＋解題

IN THE NAKED BED, IN PLATO'S CAVE / ALL NIGHT, ALL NIGHT
Delmore Schwartz

五井健太郎

剥き出しのベッドのなか、プラトンの洞窟のなかで

剥き出しのベッドのなか、プラトンの洞窟のなかで、
反射したヘッドライトがゆっくりと壁をつたった。
大工たちがまだ暗い窓の下で槌を振るった。
風は窓際のカーテンを一晩中はためかせた。
トラックの列は軋む音とともに懸命に坂を登り、
その積荷はいつもどおり、帆布で覆われていた。
天井がふたたび照らされ、そこに映された図表（ダイアグラム）は傾いて、
ゆっくりと滑り落ちていった。
　　　　　　牛乳売りのよび声、
彼が懸命に階段をのぼる音、瓶の触れあう音を聞きながら、
私はベッドから起きあがり煙草に火をつけて、
窓の前まで歩いた。動きのない通りには
ビルの林立する静けさが、
街灯の不眠が、馬の忍耐があった。
冬の空の純粋な中心によって

私は、疲れきった目をしたままベッドへ連れ戻された。

奇妙さが動きのない空気のなかで生じた。緩んだ
フィルムは灰色になった。揺れる荷馬車、蹄の瀑布が
遠くから聞こえ、だんだんと大きくなり、近づいてきた。
車が咳をして動きだした。朝は穏やかに
空気を溶かしながら、なかば剥き出しになった椅子を
海中から引きあげ、姿見を燃えあがらせて、
鏡台と白い壁を区別した。
鳥はおずおずと合図を送り、口笛を吹き、合図を送り、
沸きたち、口笛を吹き、そんなふうにして！当惑し、眠気で
いまだ濡れたまま、優しげに、腹を空かせ、そして冷たく。そ
んなふうに、そんなふうにして、
おお、人間の息子よ、何も知らない夜よ、早朝の
労苦よ、はじまりの神秘は、
何度も繰りかえされていく、
〈歴史〉は許されていないにもかかわらず。

一晩中、一晩中

「私はずっと、夜に精通する者だった」——ロバート・フロスト

病んだ光のなかを、一晩中列車に乗った。一羽の鳥が
一つの比類ない意志と並んで飛んでいた。白昼夢のような雰囲
気と態度のなかで、
他の乗客たちは座りこみ、微睡み、眠り込み、本を読んでいた、
安全さという揺るぎない軌道の上で、あるいは事故の歯車の上で、
待ちかまえながら、その場を追いだされることになる場を待ち
かまえながら。

通りすぎる町の灯と
天井にわだかまる黄色い灯の区別ができないまま、
窓の外の夜を眺めた。鳥は並んだまま静かに飛び、
列車は張りつめた軌道の上を進みながら、
空虚で見慣れたものを突き刺すようにして

まっすぐな汽笛の線を放った――

そうした光景と状況の退屈な中心は、(見えるものと
見えないものを探しもとめながら) 眺め、雑誌の滑らかな頁を
眺めるが、しかしそのまなざしはそのまま、
雑誌の滑らかな輝きの下にある暗闇の源泉へと落ちていった、
彼は八百万の乗客と読者たちのなかの一人にすぎなかった。

そして彼の虚ろな笑顔の下ではずっと、
長いあいだ変わることのない楽節からなる震えるドラムが
その体を通りぬけて繰りかえされ、鳴り響いた。するとそのと
き電車は、
突然荒れ狂う雨のように急ぎだし、音を立てて進みはじめた――
静かな、あるいは無気力な夜は、乗客の額を締めつけるかのように、
闇をつらぬく光の軸によって進んでいく
荒ぶるエンジンのイメージを
押しつけ、嫌が応にも思い浮かべさせて、沈黙を

泡や、音や、煙や、連続するものの暴力へと変え、変形させて
いった。

退屈した子供は水を一杯取りに行き、
そして器を叩き壊した、なぜなら水もまた
退屈なもので、ただ退屈しのぎにそうしたにすぎなかったからだ。
戻ってきた子供は、本を読む男の肩の向こう側を、
その男の肩を煩わせるほどに眺めた。
太った女はあくびをし、流れでる雫が、
たくさんの夕食が並んだ敷布の上に滴るのを感じた。

鳥は電柱から伸びる黒い鉛筆の線と
並んで飛び、飛んで並んだ。
磔刑に処され、一本また一本と一定の間隔で並んだ電柱、
三本の線が交差して垂れさがる、名も知れぬ木々。
すると鳥はまるで私たち全員に向けるかのようにして叫んだ。

おお、お前の人生、お前の孤独な人生よ
いったいお前はそれで何をした？
意識という大いなる贈り物でいったい何をしたのだ？
死のナイフが究極の、それにふさわしい答えをもたらすまでに、
お前はお前の人生で何をするつもりなんだ！

それを聞きながら私は心のなかで、自分が落下していくのを感じた、
パラシュートに繋がれて終わりなく落ちていき、
自分を下へ下へと吸いこんでいく巨大な力を感じながら、
そのまま終わりなく、助けもなく落ちていく、取り乱した一人の道化。

夜はそんなふうにして過ぎていく、これこそがあのよく知られた底なしの深淵へと向かっていく、夜通しの終わりなき旅なのである。

「必敗者」、あるいは夜にとどまりつづけた作家——訳者解題

ブルックリン出身の詩人・小説家デルモア・シュワルツ（Delmore Schwartz, 1913 - 1966）の詩から二篇を選びだし、ここに訳出した。翻訳にあたっては、自選集に再録されたごくわずかな異同を踏まえつつ、基本的に各篇の初出を底本とした（“In the Naked Bed, in Plato's Cave” in Poetry, January 1938, “All Night, All Night” in The New Republic, March, 1960.）。それぞれ前期と後期と呼べる時期から選んだが、読んでのとおり、扱われている主題は一貫している。この作家につねに取り憑いていたものである、夜という主題がそれである。以下ここでは、ごくわずかな短篇が翻訳されているだけで、いまだ多くの読者にとって未知な存在であろうシュワルツの略伝を紹介するなかで、訳出したそれぞれの作品にふれて、解題に代えておきたい。

誕生から短篇「夢のなかで責任がはじまる」まで

はじめにあったのは、東欧からやってきたユダヤ系移民の、一つの典型といえる暮らしだった。ルーマニアから移住したあと不動産業で成功したユダヤ人の家庭に生まれたシュワルツは、黄金の二〇年代のなか、なに不自由のない幼少期を過ごしている。だが一九二三年に両親が別居、二七年には離婚することになると、ほどなくして大恐慌がやってくる。父ハリーは財産のほとんどすべてを失い、そのまま一九三〇年に亡くなっている。わずかに残された遺産も、遺言執行者の横領によりほとんど一家の手に渡ることはなかった。両親の不和と急激な貧困への転落というこの二つの出来事は、自伝的なものが多いシュワルツの物語作品に色濃く影響を及ぼしつづけるだろう。

はげしい貧困のなかでしかし、早くから文才を認められたシュワルツは、高校の教員のすすめでコロンビア大学の予科に入学、その後ウィスコンシン大学を経て、一九三二年、最終的にニューヨーク大学に入学し、ジョン・デューイの流れを汲む哲学者シドニー・フックに師事する。のちに典型的な転向者になるフックだが、シュワルツが出会った当時はいまだ先鋭的なマルクス主義者で、貧しくも才気あふれる青年を感化するには十分な存在だった。マルクスのなかに「情熱という詩」を見いだすフックに導かれたシュワルツは、マルクスそのものではなく、そのまま同時代の——つまりモダニズム全盛の——詩の世界へと向かっていき、ジョイスやパウンド、スタインといったモダニストたちについて書くなかで、自身も詩や散文を書きはじめていくことになる。一九三五年、ハーバード大学大学院に進学し、A・N・ホワイトヘッドのもとで学ぶが、この新たな師に惹かれつつも、最終的に彼が学問の世界にとどまりつづけることはなかった。

こうしてシュワルツは、書くことで身を立てるべく、弟とともにグリニッジ・ヴィレッジにあるイタリアン・レストランの屋根裏部屋に移り住み、一日に一二時間も書きつづける生活を開始する。家を出ることに反対していた母は、ただ一言「棺桶に入って帰ってこい！」とだけいって彼を送りだしたという。弟との会話だけを心の支えとし、厳しい貧困のなかで無謀ともいえる禁欲的な暮らしをつづけるなかで、しかしあるとき、転機がやってくる。ある短編が、共産党の影響下から脱し、独自の新左翼的な路線をもとに再出発することを画策していた文芸誌『パルチザン・レヴュー』の目に留まり、著名な作家・批評家たちに並んで、その第二期創刊号の冒頭に置かれることになったのだ。一九三七年、シュワルツが二四歳のときである。

その短篇「夢のなかで責任がはじまる」は、貧しい当時のシュワルツにとって唯一の娯楽の場であった映画館を舞台にしてはじまる。客席に座り、どうやら自らの両親が出会って恋に落ちていく様子を映すらしい映画を見ている主人公の「私」は、惹かれあう二人の男女を見ながらしだいに激昂していき、気づけばスクリーンに向かって絶叫している。「結婚しちゃいけない！まだ間に合う、考え直すんだ、二人とも。いいことなんて何も待ってないぞ。後悔とにくしみと醜聞と、それからおそろしい性格の子供が二人、それだけさ！」［畑中佳樹訳、次段の引用も同じ］。

しかしとうぜん、そうした叫びが聞きいれられることはない。駆けつけた映画館の係員は「私」にたいして次のようにいう。「お前こそ何やってるんだ？［……］お前みたいな若いのが、人生これからってやつが、なんでこんな風にわめきちらすんだ？［……］やるべきことをやらないと、いつか後悔するぞ。このままやっていこうったって駄目だ。正しくないんだ。じきにわかる。お前がやることは、お前が自分で責任を持つんだ」。そのまま映画館をつまみ出された「私」はそこで我に帰り、小説は次の言葉で結ばれている。「身を切るような冬の朝、そしてぼくの二一歳の誕生日だ。窓の敷居が雪のくちびるで輝いている。朝はもう始まっていた」。

「プラトンの洞窟のなか」にとどまること

新旧の世代交代を目論む雑誌の巻頭に置かれたこの短篇は、首尾よく若い世代に鮮烈な影響を与え、一躍シュワルツの名を知らしめた。瞬く間に彼は、パウンドやエリオットの衣鉢を継ぐ来るべき作家と見なされることになる。たとえば、のちに新左翼批評家の大家となるアーヴィング・ハウが、同作を含む短編集の前書きのなかで、この作品に出会ったときの衝撃をふりかえって述べている次のような言葉は、当時のシュワルツの短篇の迎えられ方の一つの典型を示すものだといえるだろう。いわく、

> 小説のなかで映画館の係員が若者に投げかける言葉は、われわれ自身に投げかけられたものだった。われわれは、自分たちの気持ちの代弁者をついに見つけたと思ったのだ。

　こうした発言の背景には、つくりものである映画に魅せられたまま放たれた「私」の叫びはあくまでも幼さを示すものでしかなく、我に返ったのちに「私」が自覚する「責任」こそが——すなわちマルクス主義的な政治にもとづいて世界を変革することこそが——重要なのだとする解釈が透けて見える。胡乱なつくりものである映画館という擬似的な「夜」の世界にとどまることから、現実的な政治参加という「朝」の世界で生まれなおすことへ、というわけだ。だがおそらく、ここで立ちどまるべきである。はたしてシュワルツの野心は、旧世代の否定という政治的なメロドラマの枠内にとどまるものだったのだろうか？

　訳出した一篇めの作品「剥き出しのベッドのなか、プラトンの洞窟のなかで」を見てみよう。一九三八年、「夢のなかで責任がはじまる」の直後の時期に書かれたこの作品を支配しているのは、あきらかに不動性であり、停滞感である。しかしそれはかならずしもネガティヴなものではない。おそらく夜通し起きていたのだろう「私」は、明け方、まだ暗い部屋のなかの様子と、わずかにそこに差しこんでくる人工的な光が織りなす情景を、ベッドのなかで動くことのないまま戸外の様子に耳をすませながら、ただじっと眺めている。なんとか起きあがりやっと窓際まで向かうが、そこから見える景色が彼を目覚めさせることはない。あくまでも彼は、暗い部屋のなかに一瞬だけ映しだされた「図表（ダイアグラム）」を、そこに束の間かたちづくられる「フィルム」を見つづけようとする。『国家』のなかでプラトンが、天上的な太陽の光＝イデアによって映しだされた影だけにしか触れえない場として描きだした、「洞窟」の闇のなかに——すなわち、混沌としてひとを容易に欺きもする感性的で感覚的な世

界のなかに――とどまろうとするのだ。

だがしかし夜はいつまでもつづかず、とどめようもなく陽は昇ってくる。「フィルム」はしだいに色あせていき、昼の世界が、労働の秩序が再開されていく。混沌とした闇は消えさり、あらゆるものがあるべきすがたのとおりに区別されていく。しかしそうしたさまを見ながら「私」は、苦悶のうちに叫んでいる。「おお、人間の息子よ、何も知らない夜よ、早朝の／労苦よ」。夜が明け、「労苦」とともに世界が再開され、大文字の「〈歴史〉」がまた新たにはじまることは、「私」からすればとても「許されていない」ことであり、およそ耐えがたいことなのである。

以上のような構図から瞭然とするとおり、光と闇の拮抗を描きながら、シュワルツの軸足はあくまでも後者に置かれていた。したがって、先のハウを筆頭とする新左翼の青年たちは、けっきょくのところ彼のことを誤読していたのだといえるだろう。シュワルツの詩的な野心は、狭義の政治主義的な解釈に還元できるようなものではなかった。彼にとって、「夢のなか」ではじまった「責任」はあくまでも「夢のなか」で全うされるべきものだった。重要なのはあくまで夜にとどまることであり、その闇の胡乱さに身を晒しながら、これまでの「〈歴史〉」とは異なる、まったく別の歴史を紡ぐことだったのだ。端的にいえばシュワルツにとって、よりよいこの世界ではなく、まったく別の世界について語ることこそが問題だったわけである。

叙事詩『創世記』の冷遇からの転落

じっさいシュワルツは、その後も『パルチザン・レヴュー』に協力しながらも、にわかに祭りあげられた場所にとどまることはなかった。彼は朝の世界に背を向け、たえず夜のなかへ、夢のなかへ戻っていこうとする。一九三八年、やはり夢幻的な幻視のなかで「あらゆる感覚の乱調」を組織し、この世界とはまったく別の世界を描こうとするものである、アルチュール・ランボーによる『地獄の一季節』の英訳を刊行したのち、あらためて自らに課せられた「責任」を果たそうとするかのようにして、一九四三年、満を持して彼は、十年来――すなわち彼が本格的に詩作をはじめる以前から——構想してきた長大な叙事詩を発表する。タイトルからして野心をみなぎらせた『創世記——第一部』がそれである。

しかし、「夢のなかで責任がはじまる」を解することなく、我田引水的に受けとめていた読者たちに、それが理解されることはなかった。その背景にある野心には気づかれることのないまま、たんに気の利いた叙情的な作品の書き手と見なされていた作家が発表した二百頁を超える叙事詩は、何よりもまず混乱を生みだすことになり、混乱はそのまま無視へ変わっていった。

じっさい、不眠症を患う作者の分身ハーシー・グリーンと、幽霊たちのかけあいのなかで（両者がどちらも夜の住人であることに注意しよう）、アメリカという国の歴史と移民としての自己意識の相克をとおして、真の「国際意識」とは何かを問うこの半自伝的な作品は、すくなくともそれ以前の彼の作品と比べて、あまりにも難解なものだった。けっきょくのところ（若きノースロップ・フライの慧眼をほとんど唯一の例外として）、『創世記——第一部』は冷遇され、しだいにシュワルツの名は忘れられていくことになる。予告されていた第二部以降も、けっきょくは書かれなかった。シュワルツは後年、その作品の名前を出されることとさえ嫌ったという。

そして不遇は折り重なる。同年の暮れ、五年来のパートナーだった妻ガートルードと別居、翌年には離婚。実質的に妻の収入に頼って暮らしていたシュワルツは自活を迫られることになり、出版やジャーナリズムの世界に身を置きつつ、いくつかの大学でライティングを教える講師として生活することになる。とうぜん詩作にあてられる時間は削られ、ひきつづき『アメリカの夢』と題した叙事的な作品を構想しながらも、彼の四〇年代は、ほとんど作品を完成することができないまま過ぎていった。「ユダヤ人はあまり酒を飲まない」と口癖のようにいっていたシュワルツが、アルコールやドラッグ中毒のなかに沈みはじめるのは、ちょうどこの頃からのことである。私生活ではけっして多くない友人たちとトラブルを重ね、訴訟沙汰にさえ発展していくだろう。ほんの数年のうちに、次世代のアメリカ文学の騎手というシュワルツのすがたは、もはや見る影もなくなっていた。

それでも、シュワルツは詩作を放棄したわけではない。各種の中毒とかねてからの不眠症のあいだを縫うようにして、書くことはその後もつづけられ、詩や散文の選集を刊行、いくばくかの賞を得てもいる。とはいえそれだけだった。けっきょくのところシュワルツの名は、現状のアメリカ文学史のなかで、誤読されて受けいれられたあの「夢のなかで責任がはじまる」の一作のみをもって刻まれている。むしろ彼はいま、一度手にされた名声からの転落をもって、いくらかの人々の記憶にとどめられる作家となっているといえる。たとえば評論家の坪内祐三は、その実質的なデビュー作である『変死するアメリカ作家たち』の冒頭をシュワルツの評伝をもってはじめ、彼の生涯を、「たんなる自殺」とは区別される「変死」、すなわち「それぞれの時代の時代層（空気）が強く反映されている」マイナーな作家の死にざまの典型だと見なしている。

あるいは詩人の鮎川信夫は、ある号の『パルチザン・レヴュー』でたまたま目にしたシュワルツの短篇「スクリーノ」に心動かされ、彼に捧げた「必敗者」という美しい詩を書いている。「アルコールと麻薬に蝕まれた生活で／アメリカ社会における成功の蔭にある失敗のさまざまな痕跡が／かれの肉体に刻まれていき／ニューヨーク市の屍体置場までつづく」とシュワルツの生涯を要約しつつ、詩の末尾で鮎川は、やはり作家の分身である「スクリーノ」の主人公の名を喚起しながら、次のように書いている。「ところで　日本の社会の日陰を歩む／われわれのコーネリアスは　いまどこにいるのだろう？／制度の春を病むこともなく　不確定性の時代を生きて／自殺もせず狂気にも陥らずに／われわれのコーネリアスは　どこまで歩いていけるのだろう？／口誦さむ一篇の詩がなくて！」。

鮎川の檄にしたがうなら、「制度の春」に病むかぎりで私たちは、たえずシュワルツの作品を読みかえし、そこに示された夜に、何度でも立ちかえる必要がある。一九六〇年、晩年といっていい時期に差しかかった頃に書かれた二篇めの作品「一晩中、一晩中」を見てみよう。ここでもやはり、ある夜の幻視が描かれている。夜を部屋のなかで過ごすことはここで、列車に乗ることになぞらえられている。語り手と同じ列車に乗りあわせる「八百万の乗客」たちとはおそらく、シュワルツが暮らしたニューヨークの市民たちのことであり、一つの都市の、ひいては一つの国の命運が、一方的に終点へと急ぐ列車のすがたに重ねられているのだろう。乗客たちは一様に退屈しながら、「その場を追いだされることになる場を待ちかまえ」ているが、しかし列車の運行はあくまでもつつがなく、乗客たちに「闇をつらぬく光の軸によって進んでいく／荒ぶるエンジンのイメージを／押しつけ」、「連続するものの暴力」を振るいつづける。

一九三八年の詩ではまだ、「おずおずと」労働の秩序を開始するものだった鳥は、二度目の世界大戦を挟んだ二〇数年の月日のあとで、いまや列車と、その「一つの比類ない意志」と並行して飛ぶ存在として描かれ、そして語り手を挑発してくる。「おお、お前の人生、お前の孤独な人生よ／いったいお前はそれで何をした?」。それを聞きながら語り手は、「自分が落下していく」のを感じる。自分を下へ下へと吸いこんでいく巨大な力を感じながら、そのまま終わりなく、助けもなく落ちていく、取り乱した一人の道化。

だがこうした自画像を、世間から忘れさられた作家の諦念の表現として読むのは早計だろう。むしろそこには、シュワルツの描く夜の核心があるというべきだ。誰もが同じ方向に向かいつつ、しかし各人は分離されたまま、出口なく前へ前へと進んでいく列車のなかにおいて、前ではなく下に「落下」することは、彼にとっておそらく唯一の抵抗だったのだ。だから私たちは、率直にこう認めるべきである。アルコールにしろ睡眠薬にしろドラッグにしろ、各種の中毒さえ含めて、〈歴史〉を前に進めることではなく、その外へ向かって、あらゆる意味で〈落ちること〉こそが、シュワルツにとっての表現だったのであり、そこまでも含めてこそ彼は、作家だったのだと。そしてそうした作家だからこそ彼の敗北は必然でありつづけ、どうしようもなく美しいものでありつづけているのだと。

一九六〇年代に入るとシュワルツは、出版に値すると見なされるものをほとんど書くことができなくなるが、それでも、はたから見れば意味の分からない断片でノートを埋めつづけた。最後に彼とかかわったのは、窓からゴミを捨てないでくれと苦情をいってきた階下の住人だったという。詩人は字義どおりにゴミにまみれるなかで心臓発作を起こし、それから二時間たらずでそのまま帰らぬ人になった。

「僕らの家は、夜になるととても美しい」

最後に、シュワルツが後続する世代に与えた影響についてふれて終わろう。とはいえ、彼を黙殺した公式的な文学史のなかにそれが見いだされることはない。

「一晩中、一晩中」が書かれたのとちょうど同じ頃、シェラキューズ大学で教えていたシュワルツのもとに、ライティングのコースの学生として、一人の青年がやってくる。乱れきった生活がたたって、シュワルツは当時すでに、その風貌からいっても完全に浮いた教員だったが、同じユダヤ系の出自もあって、二人はすぐに意気投合、授業もそこそこに、まだ陽の高いうちから場末のバーの暗闇のなかでグラスを傾けあう仲になる。

もとより一通りではない教養の持ち主だったシュワルツが、酒席での会話をとおしてこの青年に与えた影響は計り知れないものだったことは、いうまでもないだろう。音楽を愛した青年はやがてバンドを結成、自作の詩を曲にのせていく。やがて彼のバンドは、ヒップな現代アーティストのジャケットに包まれたレコードとともに世に出ることになる。この青年の名はルー・リード、そして彼のバンドとはいうまでもなく、ヴェルヴェット・アンダーグラウンドである。

一九六七年にリリースされたVUのファーストには、前年に亡くなったシュワルツに捧げる曲「ヨーロッパの息子」が収録されているが、フリー・ジャズに影響された演奏がメインの同曲よりも、より直接的なのは、ソロになって十年の節目にリリースされた『ブルー・マスク』収録の「僕の家」だろう。そこでは、自らよりもずっと以前に「ワイルドサイド」を歩きつづけていたかつての師にたいする思いが、率直な言葉で綴られている。「デルモア、君のおかしな仕草が懐かしい／君の冗談や気の利いた台詞が懐かしい／君は僕をディーダラス、自分をブルームと呼んだけど／あれは完璧なウィットだった／君を僕の家に見つけるといつも／事は完璧に運ぶんだ」。

　シュワルツは、リードという「家」に取り憑いて離れない幽霊だった。後年にリードは、次のように述べている。「デルモアとは親しかった。彼は偉大な詩作をしたが、途方もない男であり、そして、俺の知りうる最も不幸な人間のひとりにもなった。ある晩、俺と飲んで大騒ぎをした時に、俺に腕をかけながらこう言った。『俺は近々死ぬ、解ってるだろ。でも、お前になら書ける。もし、総てを売り払い、あの世がお前に取り憑いて離れなくなったとしても、その時は、俺がお前に取り憑いてやるぜ』とね」［羽積秀明訳］。

　だからこそ、「僕の家」はまた、「僕らの家」でもある。リードは曲の最後を、次のようなリフレインを四度繰りかえして結んでいる。「僕らの家は、夜になるととても美しい」。リードもまた、夜のどうしようもない美しさに感応する一人だったのである。彼の成功のもとには、一人の「必敗者」の影がたえず取り憑いていたことを、私たちはけっして忘れてはならない。

［参考資料］

James Atlas, Delmore Schwartz: *The Life of an American Poet*, Farrar Straus & Giroux, 2020.

Delmore Schwartz, *Selected Poems 1938-1958: Summer Knowledge*, New Directions, 1967.

——*In Dreams Begin Responsibilities and Other Stories*, New Directions, 1978.

——*Last and Lost Poems*, New Directions, 1989.

——*Once and for All: The Best of Delmore Schwartz*, New Directions, 2016.

Lou Reed, *Blue Mask*, RCA Records, 1982.

Velvet Underground, *Velvet Underground & Nico*, Verve Records, 1967.

鮎川信夫『続続・鮎川信夫詩集』思潮社、一九九八年。

坪内祐三『変死するアメリカ作家たち』白水社、二〇〇七年。

ビクター・ボクリス、ジェラード・マランガ『up-tight THE VELVET UNDERGROUND STORY』羽積秀明訳、アセット、一九八九年。

村上春樹ほか編訳『とっておきのアメリカ小説12篇』文藝春秋、一九八八年。

挽歌 ほか

アレクサンドル・ヴヴェヂェンスキィ

ЭЛЕГИЯ｜МНЕ ЖАЛКО ЧТО Я НЕ ЗВЕРЬ
ЗНАЧЕНИЕ МОРЯ｜КОНЧИНА МОРЯ
Александр Введенский

東海晃久［訳］

挽歌 — Элегия

こうして書かれた私の挽歌、
中身は荷馬車に乗せられていく

山の頂ぐるりと見渡し、
その尺には果てなし、
ワインを湛える水差し、
世の麗しさは雪のごとし、
私は渓流を目にし、
嵐は鋭い眼差し、
風は穏やかにして高し、
そして今際は虚し。

　ほら兵（つわもの）の泳ぎは鱈（たら）さながら、
剛毅に満ち溢れながら、
波打つ潮（うしお）相手にしながら
格の違える戦に挑む。

ほら馬が強大な掌のなかへ
猛追の火炎を据えて、
馬たちの踊れる姿黄昏れて
統べる草木の手のうちにある。

森の眺める野は広がりをなし、
夜の纏う装いおとなし、
僕らに見える窓にカーテンはなし
彼方に輝く星に心なく。
あだな戸惑いに気持ち隠して
夜は眠らず、悲しく、泣いて
僕らにほとんど何の意味もなくて
言う通りになる人生を待つ

僕らは歓喜を知らなくて
窮屈、陰鬱、鬱屈として
友を裏切る恥知らず

神は僕らの主にあらず。
不幸の花を僕らは育てた、
僕らは自分で自分を赦した、
冷めた灰のような僕らは
鷲よりカーネーションが好き。

僕は獣を嫉妬の目で見て
思考も行為も信じてなくて
正気をすっかり失いて
戦う理由もありはしない
すべてを堕落と見做すだろう
昼も、影も、快楽だろうと
楽(がく)の奏でる低音だろうと
奈落を逃れることなどできぬ。

打ち寄せる波の乱れたる
砂漠の砂の雑然たる

女のからだの淫らなる
どれにも僕らは悦びを見ず。
屈託のない冷静さ忘れ
死を礼賛し、醜さ讃え
思い返すこと不遜と見做す
報いに僕らは火炙りとなる。

神と思しき鳥たち飛びゆき
おさげは風に吹かれて舞い
纏えるガウンは編み針に輝き
その飛ぶ姿に慈悲などはない
彼らは時を数え切るもの
彼らは重荷を味わえるもの
虚ろの鐙（あぶみ）はガチャガチャ鳴るもの
気を狂わせる必要もない。

澄んだ小川のさすらうに任せ
鏡の馬には早駆けをさせ
楽（がく）の空気を吸い込ませ
お前は腐食を吸い込まん。
ひ弱な上に喧（かまびす）しき馭者
眠気まなこの黄昏時だ
急げよ急げ、のろまの箱橇
　一刻も早く駆け抜けよ。

翼をばたつかせぬ白鳥ども
酒宴の席であろうとも
青銅仕立ての鷲ともども
勝利の角笛鳴らすことなし。
消え失せていた霊感
今や訪れるその瞬間
死にならえ！　死にならえ！
歌い人にして貧しき騎士よ。

〈一九四〇〉

残念ながら、僕は獣じゃない ― Мне жалко что я не зверь

残念ながら、僕は獣じゃない
紺青の道を駆け抜けて
己を信じろと言い聞かせ
別の自分にちょっと待てと言う
僕は自分と森まで出かけて
無意味な葉っぱを調べに行くのさ。
残念ながら、僕は星じゃない
天空高く駆け抜けて
確かなねぐらを探すなか
自分と地上の虚ろな水見つけ、
誰にも星の軋みは聞こえず、
黙って魚励ますのが務め。
さらに僕はこれも言いたい、
絨毯でもなく、紫陽花（あじさい）でもない。
残念ながら、僕は屋根じゃない、
次第次第に崩れていって、
雨をいっぱい吸い込んで、
迎えるその死は一瞬ではない
残念ながら、僕は死ぬさだめ、
残念ながら、僕はでたらめ。
ずっとずっとましなのは、ほんと
昼の欠片に　ひとまとめの夜。
残念ながら、僕は鷲じゃない、
山の頂き渡り歩くなか
定規を眺める人間のことを
ふと脳裏にもかすめやしない。
風よ、一緒に腰を下ろそう
この死の小石の上にでも。
残念ながら、僕は茶碗じゃない、
嫌なのは僕が憐れみじゃないこと。
残念ながら、僕は木立じゃない、
木の葉たちには守られなかった。

瞬間たちとの反りが悪くて、
奴らに僕はひどく困惑した。
信じられぬほど僕は悔しい
自分のほんとに見えてる姿が。
さらに僕はこれも言いたい、
絨毯でもなく、紫陽花でもない。
恐ろしいかな、自分の動きが
黄金虫たちとは違うのだ
蝶々たちとも乳母車とも
虫とも蜘蛛とも違うのだもの。
恐ろしいかな、自分の動きは
蚯蚓（みみず）のそれとは似ていない。
蚯蚓は地中にねぐらを掘って、
大地とともに会話をはじめる。
大地よ、あんたの仕事はどこにある。
こう語るのは冷たい蚯蚓、
大地は故人の世話しているのか、

これへの答えは沈黙で返す。
すべてが違うと知っているのだ。
瞬間たちとは相性悪く、
奴らに僕はひどく当惑した。
恐ろしいかな、僕は草じゃない
恐ろしいかな、僕は燭じゃない。
恐ろしいかな、僕は燭、草じゃない
これに対して僕は答えた
すると一瞬、木たちは揺れる。
恐ろしいかな、同じ二つの
物を僕が見つめるときに
互いの違いに気づかない
互いの命は一度きりなのに
恐ろしいかな、同じ二つの
物を僕が見つめるときに
お互い一生懸命似ようと
努力するのが僕には見えない

僕には世界が歪んで見える
押し殺された竪琴（リラ）が囁く
そこで文字の先っちょ摑んで
箪笥という語をひょいと持ち上げ
今度は箪笥を元へと戻す
これは物質の固い生地
嫌だな、僕は死ぬさだめ、
残念ながら、僕はでたらめ。
ずっとずっとましなのは、ほんと
昼の欠片に　ひとまとめの夜。
さらに僕はこれも言いたい、
絨毯でもなく、紫陽花でもない。
僕は自分と森まで出かけて
無意味な葉っぱを調べに行くのさ
残念ながら、この木の葉にある
気づかぬ言葉が僕には見えない。
それはいわゆる出来事　いわゆる不死、
　　　　　　　　いわゆる語幹の類い。
残念ながら、僕は鷲じゃない、
山の頂き渡り歩くなか
定規を眺める人間のことを
ふと脳裏にもかすめやしない。
恐ろしいかな、すべては朽ちゆく
その点僕もご多分に漏れず。
風よ、一緒に腰を下ろそう
この死の小石の上にでも。
まわりに蠟燭みたく草伸びる、
そして一瞬、木たちは揺れる。
残念ながら、僕は種じゃない。
恐ろしいかな、肥沃さじゃない。
蚯蚓は皆のあとを這い、
運びくるのは単調さ。
恐ろしいのは僕の不確かさ
残念ながら、僕は火じゃない。

〈一九三三年末～一九三四年初頭〉

海の意味 — Значение моря

全てをはっきりさせるには
人生逆さに生き直さねば
森をあちこち歩いて巡り
髪の毛いっぱい毟り取り
火の存在に気づいたならば
ランプであろうと、ペチカだろうと
大口を開ける理由を訊かねば
火よ、蠟燭の主（ぬし）たるお前よ
何を意味する、あるいはしない
鍋あるところ書斎あるところに
螺旋を描く魔物はまるで
パイを見下ろす蠅のよう
この霊たちが見せたのは
腕（かいな）に、脚に、それに角（つの）
声に艶ある獣が争い

ランプは夢で身を振らせて
子供は黙ってラッパ吹き
女ども泣く松の上にて
そして普遍の神佇める
そこは天界の霊場なり
馬は理想の歩みを進める
遂に到来せんとする森
怯えながらも我らは眺む
これは煙と思いつつ
森は諸手をあげて吼え立ち
退屈さのあまり波が立つ
萎えて囁く、我はまぼろし
あるいは我は今後もあろうし
野原佇み、小高い丘の
お盆に載せては恐怖を掲げ
人に獣に黒山（モンテネグロ）女の
陽気に賑わうその宴

騒々しくも楽をば奏で
ズィリャンの連中賑やかなり
牧人の男女声張り上げて
机の上では刳船(くりぶね)渦巻き
刳船の中のあちらこちらに
見えるは後光の差したる瞬時(しゅんじ)
ここは見渡す限りの陽気
これぞすぐさま我申したる
かの峡谷の生まれん様子
はたまたこの崖祝言(しゅうげん)上げる
これから我らは宴を目にする
ラッパ奏でるベンチに坐り
かたや、世界のごとくに回る
手に打ち鳴らしたタンバリン
空現れて、諍い起こらん
はたまた我らが己とならん
髭から髭へと盃わたり

時計の上には花が咲き
我らが思考は舞い上がり
くぐり抜けるは渦巻く草木
我らが思考　我らが小舟
我らが神々　我らが小母
我らが魂　我らが重し
我らが盃　盃の中の死
だが我々はこう言った、しかし
こんな雨に意味などないと
塩として願う我らの兆し
兆しは水面(みなも)を奏でると
賢き丘に会席者は皆
水の流れに放り込まれる
盃ぷかぷか芽を出す水面
夜の故郷が小川にはある
我らはまるで屍(かばね)のように
馬尻を空に見せるかのよう

海　時間　夢　同じ一つなり
例えば、底へと落ちるなり
ひっ摑んだのは道具たち
魂に、粉に、それに脚
あちらこちらに記念碑を配置
壺にそれぞれ火を灯し
我らは深き海底（うなぞこ）に立つ
我らは溺死者の軍勢
数字十五を相手に争い
駆けずり回りいずれ燃え尽きる
しかしそれでも歳月は経ち
詰まらぬことや霞立ち
海の底へと憂いに満ちて
船板みたく落ちていく
親知らず鳴らす者あれば
どんよりとした藻屑の上で
洗濯しようと筋肉ぶら下げ

時に波浪の揺らめけば
月さながらに瞬く者もいる
海の底など俺様の脚と
同じものだと言う者もあり
ここにいる者、皆不満げで
黙って水の外に出て
背後ざわめく波の音あり
仕事に取り掛からんとして
船たち大急ぎで進み
馬たち野原を疾駆して
そして砲撃、泣き叫ぶ声
夢と死とは雲に馳せ
溺れた者たち皆外に出て
黄昏前にし躯を掻いて
轅（ながえ）に跨り進み出す
貧しき者あり、富める者あり
われはすぐにも分かると言った

いずれにしても終わりが来ると
大きな花瓶が運ばれてきて
そこには花と小鈴あり
これは花瓶　それは器用に
これは蠟燭　これは雪
これは塩と鼠取り
楽しむために安らぎのため
ご機嫌いかが、普遍の神よ
少し汚れた身で俺は立つ
意志は　記憶は　また櫂は
天を讃えよ　運び去られた

〈一九三〇〉

海の最期 — Кончина моря

　海の魔物：
そして海は何も意味せず
海も同じくまどかなゼロ
そして人は無益に淵へ
飛び込む　ナイフと銃弾受けて
海へは同じく魚たち通い
犬たちは駆け　ビオロン歌う
海藻(うみも)の眠りは小母たちのよう
蚤さながらに小舟の跳ねて
海の中にも意味は乏しく
海は同じい数に従い
人気も無くて暗い
さては、海よ、お前は窓か？
さては、海よ、お前は円(まどか)？
　狩人：
腰までどっぷり森を経巡り
獣の学を俺は学んだ
時にきつめのウォッカに浸り
体験したのは死と退屈だ

俺の手前でうろつく獣は
さまざまあるが、ナマのまま
だが、森のドアを俺は閉め
第二の世界を探すことにした
こうして俺はこの崖に立ち
死人の波立つ唸る声を聞き
俺の疲れた腕（かいな）には
別れの言葉が書かれている
さらば、山たち、森たちよ
さらば狢（ムジナ）、狐よさらば

我：

いずくよりか来る高官ひとり
その手の中で犬薔薇ぐずる
何を見るにも上流気取り
まれにドイツ風の噦（さく）りする
威風堂々、偉そうに
立ち止まっては仁王立つ。

松はざわめき。李（すもも）はお喋り
狂った波の輝きて
夢見る小舟。すると淵
にわかに告げる、そこの男よ
お前は国家に疲れ果て
職の賢しさ身にしみて
肩章不用と分かった上は
バレエはもはや不快となりて
生が血吸いと成り果てたとは
お前はもはや自死するまでよ

高官：

貴殿の前にいるのは私
我が親愛なる淵殿よ
ここには未だに小人（しょうじん）どもおり
底でお家を買いたがっておる
その海の家で人魚らと
共に食事をとろうというのだ

海底酒場に繰り出して
海コニャックの味見をすべく
われらは死なぬと信じておるのだ
命にこの先続きがあると
きらきら魚は白銀（しろがね）に輝き
われらはビールとラムが大好き
おなごと繁殖遊びをするのだ
我がフィアンセのドゥルヂーナ
私の勲章好きではあったが
丸々ひととせ、春に夏に
WC（ウォーター・クローゼット）から出てこない
私は絶望、消沈しきり
独りごちたさ、自惚れでもなきゃ
食道でもなし　彼女はカモさ
あと、胃袋の延長線
彼女は腹の奴隷なのさ、と
すると空虚が現れて

全ては豪華と分かりはしたが
汚く、悲しく、吐き気がしそう
なので君へと傾くのだ　海
文書に出てくる言葉「悲しみ」
ほら　至る所に書かれてる
それにカテゴリーが何百もある
まるで魚が水で泳ぐように

執事たち大ソファーを運び込む

ソファーの上には人たち鳥たち
思考たちネズミたち灌木たち
その顔はみな悲しげで
その目はみな虚しくて
鳥たち草場を歩く姿は
頭上に浮かぶ夢のよう
黄色の人々横たわり
小舟は光り、カタカタ揺れながら
思いはこっそり墓へと入る

雨の降るなか、イヤイヤながら
鼠の家に沿いつつ渡る
そこにギリシャの知性漲る
透明にして、これ純朴
旗の下にて眠る灌木
　声：皆の者、ここへ現れよ
そして諸君の燭灯すのだ
魔物　野菜　雨　そして騎士
これから我らの夜会へ向かう
海　岸　それにお星さま
我ら盛大な宴を催そう
黒の天使が飛び出よう
その淵から　巣穴から
　天使：
さて皆　全員
ここに集(つど)ったかな
果たして全員坐っておるかな

この床の上に
楽士どもの集える姿は
さながら崖に立つペンギンのよう
海はお呼ばれに向かうところ
手を取り合って進むお星さま
海はこう言う、お辞しなさいな
考える走るつまらんことよ
考え、考え、考え、考えよ
走って、跳んで、鳴らせよ不平
死が陰気な手で摑んでくるぞ
遅れてひょっこり顔出す医者たち
まるで白鳥、身内の者ども
ベッドの周りに集まりて
これいつにない労苦かかるとも
屍の中に蠅飛び始め
しかし私が何の助けになる
子供たち　皆のもの　この夜

　狩人：
海よ　海よ　貴婦人よ
そなたは一縷の望みと言えよう
そなたのもとへと震えて参ろう
　高官：
黙れ、たわけが！
我らは、海よ、大事な海よ
何ひとつとして分からぬのだ
我らをどうか受け入れよ、
愛する第二の水神さまよ
獣のごとく我ら闇を駆け
刀剣、思考、燕尾服を捨て
手には光の瓶が燻(くすぶ)る
力ある方、これをご覧あれ
頭上で音を立てる冠(かんむり)
我らのもとへ来る——来た完(おわり)

　海：
私には無理。
　海の魔物：
わしが何か言うたか。
　狩人：
俺考える　俺は泣く。
　海：
私も何（も意味せず）

〈一九三〇〉

［底本］
A. Введенский., *Всё*, М: ОГИ, 2013.

啓蒙のパラドクス――埴谷雄高『死霊』における人工妊娠中絶と革命

石川義正

スターリン風人工妊娠中絶

埴谷雄高は『死霊』の「五章　夢魔の世界」を発表した一九七五年の吉本隆明との対談で妻に人工妊娠中絶を強要した過去を告白している。

―それから子供を産まないことですが、これは女房に気の毒しましたね。子供を産みたいという普通の願いをもっている女房を徹底的に弾圧して、とうとうスターリン風プロレタリア独裁を実現してしまった。まあ、極度の暴君ですね。戦前は、今とちがって、妊娠中絶が困難な時代だったんです。そういう医者を探しだすことはたいへんだったんです。今から告白すると、女房にまことに気の毒だけれど、四度おろさせた。そのあげくやはり害があってとうとう子宮そのものを除去しなければならなくなったんです。それで自然に子供ができないという状態になってしまって、なぜあなたは私をもらったんだ、子供を産んでいけないなら妻をもらわなければいいじゃないか、と女房は時折まさに正当に反撃するのですけれど、その度に僕は容赦もなく弾圧してしまった。どうやら僕のスターリン批判は、自己批判の気味がありますね。[1]

埴谷はかつて妻に四度の人工妊娠中絶を強制した事実を「スターリン風プロレタリア独裁」と表現している。もちろん韜晦も含まれているのだろうが、この言葉は「夢魔の世界」で三輪高志が恋人に対して「子供の存在を容認しなかった」[2]と弟・与志に語る場面と符合している。さらにその告白に続いて高志たち共産党の活動家が同志である旋盤工をスパイとして殺害したという場面が語り出されるのだから、それと作家自身の中絶の告白との強い関連は明らかだろう。埴谷は自作との照応を見越してここで語っているのである。

旋盤工が査問の席で高志たちに対してなす弁明は、川西政明も指摘するように[3]、埴谷自身の花田清輝批判でありスターリン批判である「永久革命者の悲哀」（一九五六年）に依拠している。もしそうだとしたら、高志らによる旋盤工の殺害とそれを肯定する論理は、みずからのスターリン批判に対する再批判ということになるはずである。この再批判を可能にしたのは一九世紀ドイツの生物学者エルンスト・ヘッケルによる進化論であり、それをふまえなければ五章以降の展開は理解できない。ヘッケルの進化論、とりわけ「個体発生は系統発生を繰り返す」とする「生物発生原則」と名づけられた反復説を論理の基軸として、埴谷のスターリン主義はそのまま一九八〇年代以降の無自覚な「市民社会」容認に変貌していく。『死霊』が津田安寿子の「十八歳の特別な誕生祝いの宴席」の場面で幕を下ろすのはけっして偶然ではない。この場面で安寿子は――査問の席での旋盤工と異なり――高志が書いたリーフレット『自分だけでおこなう革命』を正しく理解しえる、成熟した大人の女性として「啓蒙」されたことが宣言されるのである。

ディストピア小説の系譜――『すばらしい新世界』・『死霊』・『素粒子』

埴谷は吉本との対談でさらに次のように語っている。「将来、子供製造省とでもいうような省ができて、精子と卵子を組みあわせ、誰の子だかわからない社会の子供を生産する時代でもくるようになれば、男と女によっては子供をつくらないという、ある意味の先駆者にでもなるかもしれませんけれども（笑）」[4]。

「子供製造省」という設定はオルダス・ハクスリーの『すばらしい新世界』[5]（一九三二年）を思い起こさせる。現在まで数度にわたり邦訳が刊行されているこの長篇小説を埴谷は読んでいたのだろうか。そこでは女性から摘出した卵巣を培養し、取り出した卵子を精子が泳ぎ回る培養液に浸して受精させる。受精卵は処置を受けて大量に増殖し、一つの受精卵から数十人の一卵性多胎児が誕生する。このように子どもを「製造」するなら人工妊娠中絶は原理的には不要になるはずだが、「ボカノフスキー法」と呼ばれるこの措置がとられるのは「エプシロン」（下層労働者階級）の生産のみである。指導者や知識人階級には多胎児となる措置をとられないが、かれらも同じく「中央ロンドン孵化・条件づけセンター」で生産され、母親の胎内から生まれることはない。性行為は快楽として推奨されるが、家族という共同体単位は存在しない。「マルサス処置」（避妊）は義務にひとしく、「きれいなピンクのガラスの塔」にある「中絶センター」は火曜日と金曜日に神々しくライトアップされる。「あのおぞましい胎生時代」はすでに歴史的過去となっている。これらはどれもこの小説が発表された当時の時代背景としてあるフォーディズムと共産主義の理念から設定されており、つまりアメリカ合衆国とソヴィエト連邦が悪魔合体した全体主義国家、というのがハクスリーの生み出した悪夢なのである。

しかしそのような未来なら不確実な避妊や人工妊娠中絶よりも生物学的な不妊措置を人体に施すほうがよほど容易いのでは？と今日のわたしたちならばすぐに想像するところだ。二〇世紀前半の小説家の空想が人体そのものの改造まで到達しなかった、ということではおそらくまったくない（オルダスの兄である生物学者ジュリアン・ハクスリーは当時の優生学の有力な提唱者のひとりだった）。むしろ一定の階級以上に備わった人間的な尊厳、といった理念がハクスリーにはまだ保持されていたのだといえる。この世界の統治者であるムスタファ・モンドの人格にはたしかに柔軟な知性や教養、そして「徳」と呼ばれる倫理が——わたしたちが今現実に生きる世界の権力者たちよりもはるかに！——感じとれるのである。だが、それを除けば、ミシェル・ウエルベックの『素粒子』で主人公の兄弟であるブリュノ・ジェルジンスキが「遺伝子操作、性的自由、老化との戦い、レジャー文化などなど、ありとあらゆる点で『素晴らしい新世界』はわれわれにとって楽園[6]」と評価しているのはあながち冗談ではない。ハクスリーの空想よりわたしたちの現実のほうがもはや悪夢にちかいのかもしれないのである。

『すばらしい新世界』と『死霊』における生殖概念には無視できない相違がある。前者では「社会の子供を生産する」ことは肯定され、むしろ推奨されているのに対して、後者では子どもの出生そのものが否定されている。その点で『死霊』は、むしろ『素粒子』のヴィジョンに接近しているといえる。『素粒子』で描かれる未来には子どもが——すくなくとも生殖によって誕生する子どもが——存在しない。そこでは「生殖がいよいよ精密にコントロールされるようになり、ついには生殖がセックスから完全に切り離され、人類は安全性と遺伝上の信頼性を完全に保証された研究所内で生殖するようになる」未来の、さらにその先のヴィジョンが描かれているといえる。それは生殖にともなう偶然性が完璧に排除され、生命の発生を完全にコントロールできる世界である。すなわち、「その複雑さがどれほどのものであろうと、あらゆる遺伝子コードは乱調や変異の生じる恐れのない、構造的に安定したスタンダードにそって書き直し可能となったのである。ゆえにいかなる細胞にも無限の複製能力を与えることが可能となった。どんなに進化した種であれ、すべての動物種はクローン操作によって複製可能な、同一の、不死なる種として生まれ変わることができるようになったのだ[7]」。

一九九八年——埴谷が『死霊』を未完として死去した翌年——に刊行された『素粒子』の設定は、ＤＮＡの遺伝情報（ゲノム）の解読が急速に進展しつつあったこの時期の生物学の知見を背景にしている。当時、ヒトゲノムの配列の解読によって医療の大きな発展が期待されていたが、その後の研究で明らかになったのは、ヒトゲノムの遺伝子の数がチンパンジーはおろかイソギンチャクとさえ大差がないという事実だった。生物の発生を制御するシステムはいまだに全容解明からほど遠く、したがって『素粒子』で描かれている「乱調や変異の生じる恐れのない」クローン操作というヴィジョンは現時点ではただのおとぎばなしといっていい。だが、人類が「複製可能な、同一の、不死なる種」となるという究極の夢を手放したわけではけっしてない（その夢想を現在ではコンピュータ・サイエンスが担っているのだが、この主題についてはひとまず措く）。

一九四六年に連載が開始され、一九九五年に最終巻が刊行された『死霊』のヴィジョンは、時代的には『すばらしい新世界』と『素粒子』の中間の段階に位置づけられるだろう。それぞれの作品の生殖と人工妊娠中絶をめぐる設定を比較すると、『すばらしい新世界』では人口の減少にともなう生殖の工業化（人間の大量生産）が描かれ、『素粒子』では人類は絶滅を迎え、新たに誕生した種は生殖を必要としていない（したがって人工妊娠中絶も存在しない）[8]。一方、『死霊』では人工妊娠中絶が生殖そのものを否定する行為とみなされている。それがもっとも明瞭にあらわれているのは、共産党の地下活動家である三輪高志が書いたとされる『自分だけでおこなう革命』の次の一節である。

> 生に「無反省」「無自覚」なまま、子供を産んだものは、すべて、愚かな自己擁護者であって、巨大な生のなかの自己についての一片の想念だに彼の脳裡を掠めすぎたことはない。自己と自己の家族の愚かな肯定者、自足者である彼は、つねに、ただひたすらひたむきの保存者であって、自他ともに顚覆し、創造する革命者たり得ない。
>
> ただ「自覚的」に子供をもたぬもののみが、「有から有を産む」愚かな慣例を全顚覆し、はじめてまったく自己遺伝と自然淘汰によってではなく、「有の嘗て見知らぬ新しい未知の虚在を創造」する。
>
> 生の全歴史は、子供をもたなかったものの創造のみによって、あやうくも生と死の卑小な歴史を超えた新しい存在史の予覚

をこそもたらし得たのである。

従って、この命題を厳密且至当に辿りゆけば、ひとりの子供だにまったく存しなくなった人類死滅に際しておこなわれる革命のみが、本来の純粋革命となる。子供をのこしてきたこれまでのすべての「非革命的」革命なるものを顛覆する純粋革命こそ、これまで絶対にあり得なかった不思議な知的存在者をついに創造し得た唯一の栄光をもった最後窮極の革命にほかならない。[9]［傍点引用者］

べつの箇所で高志は「子供は目的なき目的――いわば生そのもののごときものとして生みだされる」という「この投げやりな意見はだいたい当っている」[10]と与志に語っている。子どもは「生そのもののごときもの」として「窮極の楽園のヴィジョン」、つまり「革命」の理念を否定する存在なのである。「これまで絶対にあり得なかった不思議な知的存在者」というＳＦ的なイメージは『素粒子』の「性別をもたない不死の種族」「個人性、分裂、生成変化を超克した存在」[11]と奇妙な共鳴を感じさせるが、それは埴谷とウエルベックの明確なイデオロギー的相違にもかかわらず両者が完全に一致している進化論への敵意によってである。埴谷とウエルベックがともに描く進化とは、ダーウィン的な変異と選択による進化を最終的に超克した進化であり、人類の絶滅とともに成し遂げられる――埴谷が「純粋革命」と呼ぶ――新たな種の誕生となる破局的な進化である。

ダーウィンとヘッケルの進化論

『死霊』における「純粋革命」のアウトラインは「七章《最後の審判》」で集中的に描かれている。「最後の審判」とは精力的な党活動家である首猛夫の夢にあらわれた「黙狂」と呼ばれる矢場徹吾の語る寓話であり、あらゆる生物と無生物とがひしめき合う「亡霊宇宙」の亡者たちによる「弱肉強食の食物連鎖」のヒエラルキーの上位者たちに対する「弾劾」という見かけをとっている。重要なのは、それが高志たち党の「上部」への旋盤工の側からの批判を含意していることである。旋盤工による党への批判は「上部があるかぎり、革命は必ず歪められ、その革命的要素をついにまるごと失ってしまうことになる」[12]と要約できる。つまり、上位の階級に属するものによって食べられた死者たちからの弾劾は、党の「指導部」によって殺害された旋盤工からの弾劾なのである。カニは自分を食べた水鳥を弾劾し、ゴカイは自分を食べたカニを弾劾する。金魚は自分を食べた猫を弾劾し、ミジンコは自分を食べた金魚を弾劾し、水中の藻は自分を食べたミジンコを弾劾する。この食物連鎖の最上位に位置するのが人間であり、人間の代表としてイエス・キリストがガリラヤ湖の魚の亡霊に弾劾される。この魚の語るところによれば「ガリラヤ湖のなかに棲んで小さな魚を追い廻して食べていた俺の底もない悲哀と苦悩の魂が俺を食ったお前の魂にこそなっている」にもかかわらず、イエスは『人間』以外の悲哀と苦悩にまるで思い及ばぬばかりか、そのほかならぬ当の人間についても、天国へ入れるものと入れぬもの、の「永遠の差別者」にはじめからしまいまでなりおおせてしま」[13]っている。しかしイエスが「俺達の仲間にそのお前の肉の一片一片を食わせ」るのならば「これまでひきつづきにつづいていた弱肉強食の食物連鎖を携えに携えつづけてきた生と死について思いもよらぬほどこれまでとまったく違ったところの新しい新しい生物史の創造の第一頁こそがそこにはじまる」[14]「傍点引用者」とも語りかける。

　イエスとガリラヤ湖の魚の関係は――水という物質的想像力を媒介として――党指導部と溺死させられた旋盤工の関係に正確に対応している。旋盤工の唱える「上部廃絶」とは、両者の関係をともに根底で規定している「弱肉強食の食物連鎖」の否定を意味する。ただし厳密にいうと「弱肉強食の食物連鎖」はダーウィンのいう「自然選択」と似て非なる概念である。ダーウィンの自然選択はたんなる繁殖の成功の度合いを意味しており、個体同士の直接的な闘争のことではない。ダーウィン進化論に「存在の連鎖」にもとづくヒエラルキーは存在せず、生物のあるべき未来も目的もない。埴谷の念頭にあったのはむしろハーバート・スペンサーに由来する「社会ダーウィニズム」であろう。それは宇宙のあらゆるものが「進化」し、事物はより複雑でよりよいものとなる、という「適者生存」のメカニズムである。吉川浩満『理不尽な進化』によれば「発展的進化論と市場経済の自由競争社会との結合がスペンサー思想の特徴だ。そこでは進化とは競争を通じた前進であり上昇であり、ラマルク説がそうであったのと同様に、進歩にほかならなかった」[15]。つまりガリラヤ湖の魚の弾劾には自由放任（レッセフェール）的な資本主義社会への批判が内包されており、それがかたちをかえて旋盤工による党組織の「上部」批判にも通底していることになる。

　魚によるキリスト批判に続いて「小さなチーナカ豆の俺」による釈迦への弾劾が始まる。ガリラヤ湖の魚による弾劾の矛先が「生命」の連鎖であるのに対して、チーナカ豆の弾劾は釈迦の涅槃、つまり「死」の認識に向かっている。仏教もまた「緑の樹々と草々のもつ目に見えぬ生の根源性[16]」に依存した欺瞞にすぎず、出家と在家という差別の構造を形成しているのだ。要するにイエスと釈迦に象徴される生と死をめぐる人類の思索のいっさいは「真理の誤謬」の歴史にすぎず、そうした誤謬にかえて真に思考されるべきなのが「虚」である、というのが「最後の審判」の究極のモチーフである。「「虚」は、俺が「虚から創造し出現せしめた」ところの嘗てのお前達の「正」といまのお前達の「負」とやがて霊妙にくる「非」の宇宙の「すべてのすべて」にわたって、それらと「とも」にもまたつねにいる」[17]。そして「「虚」は「未出現」ということができる」のであり、存在と非・存在の可能性のいっさいを包含する潜在性の地平である。

　「未出現の宇宙」にいたるこの寓話の要をなすのが、餓死した母親の胎内で三日ほど生きていた「胎児」の独白である。胎児は次のように自称する、「先程ぼくのいった「生の前の生」よりも、むしろ「生きたけれど生まれてこない」というほうがぼくに適わしいかな。いやいや、おふくろが正真正銘まぎれもなくすでに死んでいるのだから、その胎内にまだ小さなみじんこかガリラヤの魚状の軀を縮めに縮めて蹲っているぼくが生きているのは［……］「死のなかの生」というべきだろうな[18]」［傍点引用者］。

　死んだ胎児は潜在性が現実化することなく潜在性のままに

とどまる「未出現」の最初の象徴である。この胎児はおなじ箇所で「「子供づくり」こそ、生そのもののなかのまぎれもない「原罪」だと思う」とも語っており、高志が告白した人工妊娠中絶という主題と深いかかわりをもっているのはあきらかだ。では、なぜ「子供づくり」は過誤であり原罪であると語られるのか。それはこの胎児もまた、「弱肉強食」のヒエラルキーの上位にたつ誤謬の歴史のひとつの帰結にすぎないからである。だからこそ「ひとつの淡い影」は次のように胎児を批判する。

> お前はその「死のなかの生」の意味をまったく取り違えて発言しているのだ。おお、いいかな、胎児よ、そのお前がようやくそのお前自身としてそこにあるのは、四、五億もにのぼるお前自身の兄弟殺しの凄まじい結果の上にのみなりたっているのだ。よく考えてもみろ。お前が目に見えぬマラソン競争のゴールである母親の胎内の弾力に満ちた壁の傍らの卵子に最初に辿りついたとき、お前のすぐ横には四、五億の兄弟達が尽きせぬ盲目の祝祭のごとく犇きあっていたのだ、いいかな、お前のお前自身としての自己確立こそ、お前のまぎれもない兄弟である四、五億の可能性の胎児達に対する一斉の大殺戮の開始にほかならなかったのだ。[19]

この語り手は卵子が受精する過程を一種の生存競争とみなしており、胎児もイエスや釈迦とおなじく「食物連鎖」のように「おびただしいむごたらしさの極みの死の総犠牲の上にのみなりたっている」と考えている。しかし生存競争それ自体が「無数の兄弟殺しの大殺戮」を引き起こす悪と考えているのかというと、おそらくそうではない。むしろ真理にいたる正しい生存競争が存在するはずである。「蒼白く痩せたイエスもふっくらした厚みをもった釈迦も、彼等が無自覚に食った大きな魚や小さな豆によって弾劾されるのでなく、その遥か前の前に、嘗て母親の胎内の深い闇のなかでおこなった眼に見えぬ無数の兄弟殺しの大殺戮によってこそ弾劾されねばならぬのだ。そして、その暗い胎内からのまがうことなき深い「自覚者」が、イエスや釈迦といった愚かしく無慈悲無洞察無自覚なやつらにかわってそれらの秘密の大暗黒の胎内から出現すれば、おお、賢明な胎児よ、まったく違った人類史こそがすでに遠くからはじまっていた筈なのだ[20]」。

語り手は、精子と卵子の遭遇を通じて真理の歴史が生成する可能性を認めている。その場合の「自己遺伝と自然淘汰によって」ではない生存競争は、真理を生成し、過誤と欺瞞を排斥する出来事となるはずである。しかし生存競争は無目的かつ無方向的であり、そのため真理を排斥してしまう可能性を否定できない。高志が子どもを「目的なき目的――いわば生そのもののごときもの」とみなすのは、それがダーウィン的な意味での自然選択の産物だからである。つまり語り手は、過去の人類史そして生物史が誤った選択をしてきたから否定しているのであり、生存競争それ自体を否定しているのではない。

ならばこの寓話の語り手が考える正しい生存競争とはどのようなものか。おそらくここに非ダーウィン的な進化論者とみなされる生物学者エルンスト・ヘッケルが『死霊』に召喚される必然が認められるのである。ヘッケルは一九世紀後半から二〇世紀初頭にかけて活躍し、その当時国際的なベストセラーとなった『自然創造史』（一八六八年）や『生命の不可思議』（一九〇四年）などの著作を通じて進化論を一般に啓蒙した。ヘッケルの幅広くまた深い影響は共産主義から精神分析にいたる二〇世紀の知的潮流のそこかしこに認められる。日本では宮沢賢治や荒畑寒村が著作の中でヘッケルに触れており、埴谷雄高も初期の短篇「意識」に「ヘッケルの系統樹」をめぐる記述を残している[21]。『死霊』がヘッケルと直接かかわりをもつのは「生物発生原則」、すなわち「個体発生は系統発生を繰り返す」という、現在でもよく知られている仮説においてである。その明白な痕跡は「胎内にまだ小さなみじんこかガリラヤの魚状の軀を縮めに縮めて蹲っている」という表現にあらわれている。ヘッケルは進化と発生という本来まったく異なる二種類の「時間」を類比させているが、埴谷はその類比を利用して生物の「食物連鎖」を卵子の受精プロセスに直接結びつけているのである。

生物発生原則（反復説）は、一九四〇年代までには進化論と遺伝子学を総合したネオダーウィニズムの成立によって学説としては過去のものとなった。それはヘッケルの学説の根拠となったラマルクの進化理論である「獲得形質の遺伝説」が否定されたことが大きい。ピーター・J・ボウラーが次のように端的に要約している。「進化がランダムな変異の集積によって進行するのであれば、現生生物の個体が祖先の成熟形態に似た段階を経て成長する理由がない。［それに対して］ラマルキズムは変異を成長過程への付加とみなしているので、反復説を正当化できる」[22]。進化によって新しい形態が次々と付加されるなら、それ以前の成熟形態は発生の初期段階へと「圧縮」される。個体は成長にしたがって圧縮された古い成熟形態を順次通過することになり、結果として進化を反復することになる。だが、メンデル以降の遺伝子学が「遺伝子」と「表現型」という概念を確立することで——遺伝するのは遺伝子レベルでの変異であり、形質の変異それ自体が遺伝することはないとされる——獲得形質の遺伝的伝達という考えはいったん放棄されたのである。

　ラマルクのさらにもうひとつの重要な影響は、それが「生物は決まった目的・目標に向かって順序正しく漸進的に変わっていく」[23]という、根本的に非ダーウィン的な「発展的進化論」と呼ばれるタイプの進化論であることにみられる。ヘッケルでも個体の成長という概念は成熟に向けた前進的で目標指向的な性格を内包している。「ヘッケルにとっては、過去の進化の過程が現生生物の胚の成長を決定する。理屈の上では、因果性の方向が逆になり、目的論が自然主義に置き換わっている。しかし実際にはヘッケルは、進化が必然的に最終目標に向かって前進するという仮説を広めるために成長との類比を利用し続けたのである」[24]。ヘッケルの進化論には、予定された目標に向かう力に支配されているという意味において「前成説」を示唆する側面がある。このことは同時に「種」の進化にも同様の性格を暗に読み込んでいることになる。事実、ヘッケルは「系統樹」の頂点にヒト（Menschen）を想定し、さらにヒトの亜種の系統樹の最先端に「インドゲルマン人グループ」を置いている。佐藤恵子によれば、ヘッケルは「最高に進化を遂げたインドゲルマン人（つまりヨーロッパ系白色人種）は、「より高度に進化した脳の力で、他の人種・亜種を生存競争で打ち負かし、地球全体への支配を広げている」[25]と記している。つまりヘッケルの進化論は、キリスト教批判という啓蒙主義的な一面をもつ一方で、のちのナチス・ドイツの「フェルキッシュ」と呼ばれる民族至上主義に棹さす一面をもっていたことは否定しがたいのだ。ヘッケルの進化論は人類を頂点としたヒエラルキーと目的を導入することで、生物の歴史そのものを一種の目的論、さらには終末論として表現してしまうのである。[26]

つまり『死霊』は「弱肉強食」というラマルク＝スペンサー的な社会ダーウィニズムを批判するために、おなじくラマルクに由来するヘッケルの生物発生原則を対置したことになる。この混乱の原因は埴谷がラマルキズム（発展的進化論）の「適者生存」とダーウィン進化論との決定的な差異を見誤っていたからだが、しかしそれ自体は――ダーウィン自身がラマルクの理論を否定していないという歴史的経緯からみても――かならずしも批判に値するということはできない。埴谷にかぎらず、レーニンは『唯物論と経験批判論』でヘッケルを賛美しており、フロイトは生涯にわたり生物発生原則をその理論の核心に固持した。[27]共産主義と精神分析のある側面が、まさにそのために過去の遺物と化してしまったのは確かである。しかしかれらとおなじく現在のわたしたちが「生命」の歴史を思考する際に成熟――大文字の目的をそこに導入せずに行うことがはたして可能なのか、というのがここでの問いなのである。

カントの啓蒙／レーニンの革命

旋盤工はスパイ疑惑によって党の「上部」から査問を受ける席で「俺はみなが俺を裁くことを認めない」[28]と反論する。なぜなら階級社会を否定するはずの党の「上部」それ自体が強固な階級社会を形成しており、党はそのあり方によって革命を裏切っているからである。したがって、階級の徹底的破壊のために「すべてのものが自己の上部なるものを何時とはいわずいますぐきっぱり取り除いてしまえば、真の革命への道へ踏み出せる」というのが旋盤工の主張である。

先に触れたように、旋盤工の認識の原型はすでに「永久革命者の悲哀」に見出すことができる。「党外大衆からはじまった大ピラミッド、中ピラミッド、小ピラミッドの心理的関係の無限の系列にひとたびはいってしまえば、怖るべきことに、そのような心理的関係がひとつの鉄則になってしまう。それは『鉄の規律』の心理的な部分になってしまう。そして、その心理の柵を乗り越えたもの、『階級の差異』の鉄則を犯したものは、叛乱者である。そのような心理的叛乱者は、やがて何時かは或る機会に或る理由を附されて実際上の反逆者とされてしまう。従って、そこには、或る高位の呪術者がひとつの言葉を発するまでタブーがまもられていなければならない原始社会、柵のこちらとあちらの蔭で強圧と術策の行われる階級社会、にあるものがすべてであった[29]」。

ここには旋盤工の認識だけでなく、かれの運命までもがあらかじめ書き込まれているといってもいいのだが、そのような自己言及的なテキスト連関を挿入することによって『死霊』のその後の展開は共産党批判という思想的課題とはまた別種の主題を抱え込むことになる。それはカントにおける**成熟**のパラドクスとでもいうべき主題である。

よく知られているようにカントは論文「啓蒙とは何か」で「人間が、みずから招いた未成年の状態から抜けでること[30]」と「啓蒙」を定義している。「未成年の状態」とは自分の理性を使用できない状態のことである。しかもそれができないのは理性をもたないからではなく、「他人の指示」によらなければそれを使用する「勇気」をもてないからだ。佐藤淳二が指摘するように、そこには他人の指示とその基盤である権威が過剰に存在し、それを跳ね返す決断と意志が不足している。「逆に言えば、この関係が逆転する時に、未成年状態からの離脱が実現し、啓蒙が到来することになる[31]」。カントはここで啓蒙をたんなる近代的な知の開明としてではなく、意志と勇気という態度（エートス）によって定義することで「統治されない技術」（フーコー）としての「批判」に連なる道を拓いたといえる。だが、もし未成年の状態から離脱する意志と勇気そのものが権威によってコントロールされていたとすれば、「批判」はどのように可能なのか。

旋盤工は自分が党の階級支配への批判という立場を獲得したのは『自分だけでおこなう革命』というタイトルのリーフレットを読んだからだ、そこには「真実の言葉」だけがあった、と「上部」に対して語る。だが、そのリーフレットを書いた本人こそ「上部」の一人である三輪高志であることが査問の席で明かされる。そう指摘された旋盤工の「明るい顔立ちは一瞬の裡にさっと刷毛でもはいたように真蒼になって、その顔の皮膚をぱっくりとひとめくり、ふためくり、みめくりでもするような恐ろしい変貌が起ると、疑惑と驚愕と絶望のいれまじった恐らく一生の裡に再び繰り返すことのできないような一種の《自己崩壊》の表情の推移が手にとるようにそこに見てとれた[32]」。

旋盤工に未成年の状態から離脱する勇気を与えたのは党という権威であり、それゆえ未成年の状態にある自己と権威の関係が逆転する契機はない――これが自律的であるはずの成熟が他律的に、つまりヒエラルキーの上部から与えられるというパラドクスである。じつはこれとよく似たパラドクスがこの長篇の結末ちかくでふたたび登場する。与志の婚約者である津田安寿子が『自分だけでおこなう革命』の内容を理解することで「私は、いまのいま、幾つ分か、年齢をとりました。明日の誕生日を前にして、与志さんの前ですでにもうおどおどしていることなどない「おとな」になったのです[33]」と述べる箇所である。一九九五年に発表されたこの長篇の大円団となる「九章《虚体》論――大宇宙の夢」の舞台は、「津田家唯一の「令嬢」から女性としていわばひとり立ちする津田安寿子十八歳の特別な誕生祝いの宴席[34]」という設定である。安寿子は高志の言葉を通じて「目的なき目的」にすぎない未成年状態を脱して、意志と勇気をもって自律的に存在しうる「おとな」になった、と作者は宣言しているのである。安寿子の啓蒙は殺害された旋盤工とおなじパラドクスの形式を体現しているが、しかしその内実は共産党＝スターリン批判から市民社会における成熟に置き換わっていることを意味している。安寿子が女性であり、しかも大ブルジョワの家庭に生まれ育った従順な婚約者であることが、旋盤工とまったく異なる運命を彼女にもたらす。ここにはスパイ査問の場面での主題だった「階級絶滅」という党の大義

(cause）は存在しない。それがなければ「弱肉強食の食物連鎖」そして「虚体」というモチーフそのものが意味を失うはずだが、そのことをおそらく作者は自覚していない。この時点で政治的な意味での「革命」はすでに放棄されている。

だが、これと似た矛盾はすでに「啓蒙された君主」たるフリードリヒ大王の統治するプロイセン王国の臣民だったカント自身の問いに内包されていた。カントの啓蒙論には、来るべきフランス革命の否認とでもいったモチーフが潜在している。無制限でラディカルな啓蒙の全面化はいずれ社会秩序の崩壊につながるだろう、とカントは予感していた。カントはそうした啓蒙の矛盾を解消する方途として、たとえば聖職者が学者として研究する場合は理性を「公的」に——無制限な自由を享受して——使用し、教会の牧師として信者に説教する場合は理性を「私的」に——権威に服従して——使用する、という例をあげている。カントは理性の使用を公的なものと私的なものとに分離し、制限することでこのパラドクスを解消しようとした。

査問の席で「上部」の一人である「海豚」は「ここにいる俺達はいま問題になっている上部廃絶の課題などすべてすでに解いてしまっている」と述べる。「諸君がよく知っているように、途方もなくかけ離れた意見の持主とてもここでは誰ひとりとして排除されていない。そうだろう？　あの奇抜な被告に共感した感傷派の『一角犀』にしても、またあの被告の知られざる隠れた指導者となってしまった『単独派』にしても、あの被告の主張をまるで認めない俺にしても、まったく対等で、こうした俺達を規制する『上部』も、また、俺達が支配すべき『下部』も俺達には存しないのだ[35]」。党の内部では平等で民主主義的な熟議がなされている、というわけである。パラドクスは議論に取り上げていることですでに解決済みとみなされ、パラドクスの内実が実際に解消されることはない。つまり党では理性の私的な利用のみが認められるということだ。党はあらかじめ「対等」という特権をいただく者たちのサロンにすぎない。そこにパラドクスの存在する余地が存在しないのは、「海豚」が数えあげる「対等」な関係に「あの奇抜な被告」自身を含まないことが行為遂行的に証明しているのである。

旋盤工の批判は、党の内部と外部に厳然と聳える「階級の差異」に向けられている。それは理性の私的な使用と公的な使用という分離の構造とパラレルである。しかし理性の公的な利用を肯定するなら、理性の使用を公的・私的と限定すること自体が不可能なはずだ。理性の公的な利用が理性の私的な利用を容認する権威を肯定すること自体が自己矛盾だからである。だが、こうした認識の前提には、啓蒙の制限がもはや不可能となった知の配分そのものの変化がある。『死霊』が描いているのは、牧師に対して労働者が「対等」であることをすでに要求しうる社会である。そこではリーフレットに象徴される出版・活字メディアをとおして議論がなされ、世論が形成される社会、つまり顔の見えない「公衆」の存在が前提にされている。

「公私の境界がある限り、「未成年状態」は残存し、完全な啓蒙は決して訪れない」[36]が、しかし同時に公私の境界が消滅することで「未成年状態」は社会のあらゆる場面に残存することになる。それが啓蒙のパラドクスの帰結である。未成年状態を脱したと信じた旋盤工の陥穽はそのことにかかわりがある。そしてそれとともに権威であるはずの党もまた未成年状態を脱していない、という事態をもあらわしている。「海豚」がいうように「俺達を規制する『上部』も、また、俺達が支配すべき『下部』も俺達には存しない」のが真実ならば、党はなにを根拠として旋盤工を「処理」できるのか。「俺達がお前を査問しているのは、ただひたすら、われわれの仲間三人を警察に手渡したお前の行為という一事だけによっている」[37]というのは、旋盤工の殺害がひとえに党の組織防衛という共同体の論理としての理性の私的な利用にのみ負っており、理性の公的な利用とはいっさい関係がない、と明言しているに等しい。

査問の席で「単独派」と呼ばれる三輪高志は「自分だけでおこなう革命」というロジックをさらに突き詰めると、革命家は、革命が成就するその「瞬間だけ」真の革命家である、という結論にたどり着くはずだ、と旋盤工に言い含める。革命の瞬間が過ぎれば革命家はただの「似而非革命家」にすぎず、「生活のなかの素朴な無名者」として生きなくてはならない、「従って、

《瞬間だけの革命家》にすぎない真の革命家は審問の席で昂然と胸を張って、俺こそ革命家だなどといってはならないのだ。［……］お前は、自分をただちょっとした気のきかぬ犯罪者だくらいに名のらねばならなかったのだ」[38]と高志は旋盤工を最終的に断罪するにいたる。

高志の論理は、ジジェクがスターリンに粛清されたブハーリンを批判する理由とよく似ている。ジジェクによれば「ブハーリンの致命的な誤りは、ある意味で一挙両得ができると思ったことにあった。つまり、彼は〈党〉およびスターリン個人への献身を言明しながら、最小限度まで縮小した主体の自律性を最後まで捨てる覚悟がなかった」[39]という点にある。ここでの「〈党〉およびスターリン個人への献身」とは革命の大義、すなわち理性の公的な利用の行使を意味する。にもかかわらずブハーリンは「主体の自律性」という理性の私的な利用を最後まで放棄しなかった、とジジェクは指摘しているのである。高志もまた旋盤工に対して「《瞬間だけの革命》」を査問の席で「やりとげた」と認めている。そしてブハーリンとおなじく旋盤工も、それにもかかわらず理性の私的な利用を放棄しなかった、という理由で断罪される。ここにも啓蒙のパラドクスのグロテスクな一面が露呈している。「瞬間だけの革命」とは、そこに理性の公的な利用が——その極小の瞬間においてだけしか——存在しないということである。ブハーリンあるいは旋盤工を断罪する権威であるはずの党も実際には革命の大義といっさい無縁であり、たんに組織防衛という理性の私的な利用を行使しているにすぎない。高志を含む党の「上部」も旋盤工も、誰ひとり大義など持ち合わせていないのだ。

「瞬間だけの革命家」の最高の実例はもちろんレーニンである。「レーニンは、メンシェヴィキやボルシェヴィキ内部の懐疑論者と対照的に、一九一七年の複雑な状況——〈臨時政府〉の優柔不断な政治姿勢に対して一般大衆が不満をつのらせていたこと——が一段階（民主主義ブルジョア革命）を「飛び越す」ための、つまり二つの連続する必要不可欠な段階（民主主義ブルジョア革命とプロレタリア革命）をひとつに「圧縮する」ための特別な機会を与える、と考えたわけではない。

［……］レーニンのいっていることは、これよりもさらに強力である。結局「必然的な発展段階」という客観的論理など存在しない、なぜなら、複雑に織りなされた具体的状況から生まれる、そして／あるいは「主観的な」介入の予期せぬ結果から生まれる「事態の紛糾」は、物事の円滑な進行を妨げるのだから」。ジジェクはこのような事態を「「大文字の〈他者〉」の（非‐）存在」と表現している。それは革命に大義＝原因（cause）の不在を、理性の公的な利用の不在を認めるのに等しい。

メンシェヴィキは、あらゆるものに基盤となる、歴史的発展にかんする実証的な論理に依拠していた。一方、ボルシェヴィキは（すくなくともレーニンは）「大文字の〈他者〉は存在しない」ということを分かっていた。政治的介入そのものは、包括的で潜在的ななんらかのマトリックスによる座標軸の内部で起こるのではない、なぜなら、政治的介入が成し遂げるのは、まさにこのマトリックス自体の「改造」だからである。[40]

レーニンが成し遂げた革命は、なんらかの規範や理論に沿って実現されたものではまったくない。そこにはいかなる根拠もなく、ただ「時機をとらえる」ことだけが問題だったのである。つまるところ革命は自然と同様に、自己保存という目的を駆動力としながら、カントのいわゆる「究極目的」を欠いている。

ジジェクのいう「包括的で潜在的ななんらかのマトリックス」とは、進化論において定向進化の根拠となる「適応」概念に相当する。生物は生存と繁殖という目的にかなった適応によって進化する、と主張するダーウィンの進化論は観測と理論が結びついた典型的な経験科学に属している。それは統計を基礎とした確率性をその本性とするが、革命における「大文字の〈他者〉」の不在はそこでの蓋然性とまったく異なる事態である。ジジェクはルカーチの『歴史と階級意識』における「瞬間」という概念を「ある行為がある状況に介入するための機会が存在する瞬間」と規定し、それは「バディウが〈出来事〉として定式化しようとしているもの、すなわち既存の「客観的な条件」

によっては説明できない介入に近い」[41]と述べる。一九一七年四月、ロシアの二月革命直後にレーニンが封印列車からペテルブルクに降り立ったのがそうした「瞬間」の介入である。「「大文字の〈他者〉」の（非-）存在」は「時機をとらえる」ことの無根拠さにおいて、むしろ吉川浩満のいう「理不尽な絶滅」にちかい。それは「ある種の生物が生き残りやすいという意味ではランダムではなく選択的だが、通常の生息環境によりよく適応しているから生き残りやすいというわけではないような絶滅」[42]である。吉川はそうした絶滅の典型的な事例として白亜紀の恐竜絶滅のシナリオをあげている。地球への天体衝突は、それによって発生した大量の塵で大地を焼き尽くすとともに、数年にわたり太陽光を遮断した。地上に太陽光が届かなくなったことで植物のような光合成生物が死滅し、それらを食べる草食恐竜が絶滅し、さらに草食動物を捕食する肉食動物が絶滅した、とされるプロセスである。恐竜にとって「天体衝突という不運としかいいようのない事件」という表現が当てはまるのは、それが一億数千万年かけて地球環境に適応してきた恐竜の進化といっさい関係のない出来事でありながら、それによって進化のプロセスが切断されてしまったからである。天体衝突は地球における適応のルール（マトリックス）を一変させてしまったのだ。しかしもし地球に恐竜が誕生する以前にこの天体が衝突していたら、もとより恐竜絶滅は起きようがなかった。

九鬼周造は、そのように「各々独立に自己の系列において展開する原因および事実の諸体系間の結合」[43]と定義しうる偶然性は、たとえその出来事を自然科学にもとづく「既存の『客観的な条件』によっては説明できない」としても、やはり「客観性」をもつとしている。偶然の宿る「交叉点を規定する因果系列は実に無数にある」。アリストテレスが個体の偶有性が無際限である、あるいは偶然的原因が無限定であるというのは、因果系列が無数であるとともに、交叉点もまた無数であることにもとづいている。「一つの交叉点の完全なる釈明はおそらく無限数の交叉点の完全なる釈明を予想するであろう。そうして無限数の交叉点の完全なる釈明とは何ら一つの交叉点をも残さない全き空虚でなければならない。交叉点の偶然性がすべて主観に依存するというならば、それは一切を主観化することにほかならないので、もはや何ものも客観性を有ったものはないという結論に到達しなければならぬ[44]」。九鬼がここで述べている背理をさらに敷衍するなら、いっさいの偶然を「空虚」となす自然科学の「完全なる釈明」それ自体が科学者たちの「主観」によるフィクションにすぎないともいえる。ただし「理不尽な絶滅」がなおも自然選択の近傍に位置する自然主義的な概念であるのに対し、ジジェクの「政治的介入」はむしろ多くの変異の中から意志的に未来の方位を決定する人為選択とするべきだろう。それは自然選択のように因果的必然と目的的必然を備えながら、にもかかわらず「大文字の〈他者〉」の存在しない自動機械として作動するのである。

スターリン主義の亡霊的な回帰

埴谷雄高が人工妊娠中絶を革命にアナロジーするのは、両者に共通する人為的な介入という性格を介してである。『死霊』は「発生」の歴史を一種の神話として、つまり目的＝終末論の完全な支配下において――小説冒頭の「大時計」の文字盤に刻まれた「十二支の獣」がその象徴である――語りたいと願う。だが話者はその欲望を「既存の「客観的な条件」によっては説明できない」。なぜなら「人間は、自然と自分自身との間に或る種の目的関係――換言すれば、自然にかかわりなくそれ自身だけで事足り、従ってまた究極目的たり得るような関係を設定するすべを知り、またそうする意志をもちはするものの、しかしかかる究極目的は自然において求められてはならないものなのである[45]」。にもかかわらず埴谷は――「究極目的」がアプリオリに与えられているかのごとくに――語りつづける。

この原理的な矛盾――「不合理ゆえに吾信ず」という箴言によって端的に要約しうる――をいささか不細工な語りの形式として構想することで『死霊』は小説として成立しているといえる。こうした主題と言説の矛盾を集約する形象が人工妊娠中絶である。高志が「子供の存在を容認しな」いのは、それが「革命」というプロジェクトにとっての偶有性にすぎないからである。かれは革命による存在の未来の「完全なる釈明」を欲するだろうが、それが成就することはもとよりありえない。ありえない、という合理の否認がここでの人工妊娠中絶の意味である。未来は論理的あるいは客観的に、つまり「構成的」に決定することはできず、せいぜい「統制的」に——存在の関係（結合）の仕方にのみかかわるかたちで——語りうるにすぎない。高志は旋盤工の殺害を決定するに際して同志たちにこう語る、「俺達はこのいまのいまと同時に百年後のためにもここに集っているのだ。だから、ここで俺達はあの男をひとまず預けておかねばならない」。どこへ預けるのだ？　と問う同志に対して、高志は「彼が望んでいる『あちら』だ」と即答する、そして「上部廃絶の成就した百年後に彼は革命の証人としてまた意味深くこちらへ登場してもらうことになる」[46]。

高志が曖昧な修辞を用いて旋盤工がみずから死を望んでいるという憶測を述べるのも、一〇〇年後に上部廃絶が成就するという仮定も、かれらがこれから実行しようとしている殺人への躊躇と疑惑を心理的に糊塗するための——当人がそう認めているように——「詭弁」にすぎない。「革命は歴史だ」と断言しつつ、高志にはそれを可能とするいかなる論理も根拠も示すことができない。旋盤工の「処理」が「「必然的な発展段階」という客観的論理」から必然的に導き出される結論ではないのとおなじく、高志が恋人に——埴谷自身が妻に——人工妊娠中絶を強いた客観的に正当化しうる理由はなにもない。それは高志の「政治的介入」に「大文字の〈他者〉」が欠落しているためだが、同時に「革命」そのものが理性の私的な利用にもとづいているからでもある。革命は理念において人間のすべて（世界市民）にかかわる限りで「公的」たりえるにもかかわらず、そのことを論証できないという思弁が延々と論証されていく。

プロレタリア階級は無であるがゆえに世界（すべて）である、という弁証法が共産主義の教義の核心にある。しかしそれは無ではなかったし、世界（すべて）でもなかった、というのがこの謎めいた長篇小説のもっとも簡明な要約である。「階級」から排除されたものたち、世界に含まれないものたち、無に満たないものたち——『死霊』では「虚体」あるいは「未出現の宇宙」と呼ばれるものたち——がかならずや存在するであろう、存在しなければならない、存在するはずだ……。

共産党の活動家だった埴谷の予感していた現実が白日のもとに晒されるのは、歴史の年表においてはスターリンの死後（一九五六年）である。しかしスターリンの虐殺機械がレーニンの革命を反復しているのではない。レーニンの革命がスターリンの虐殺機械をあらかじめ反復していたのだ。スターリンによってはじめて革命が理性の公的な利用ではないことが明白になったのである。それは『死霊』において人工妊娠中絶という「私的」な行為を通じて革命が継続されるのと軌を一にしている。レーニンの革命は「大文字の〈他者〉」を欠落させた「理不尽な」——そして人為的に生起された——災厄である。ただしフランス革命そしてナポレオンの戴冠以降の——専制君主のもとでの自由という矛盾として現出する——理性の公的な利用と私的な利用との無差異から発する論理的な帰結としてそうなのである。

どこでも自由は制約されている。しかし啓蒙を妨げているのは、どのような制約だろうか。そしてどのような制約であれば、啓蒙を妨げることなく、むしろ促進することができるのだろうか。この問いにはこう答えよう。人間の理性の公的な利用はつねに自由でなければならない。理性の公的な利用だけが、人間に啓蒙をもたらすことができるのである。これにたいして理性の私的な利用はきわめて厳しく制約されることもあるが、これを制約しても啓蒙の進展がとくに妨げられるわけではない。[47]

カントの時代から現在にいたる啓蒙の「主体」には長らく女性や子ども、狂人といった周縁的な領域に生きる人びとは含まれてこなかった。それらの「未成年の状態」にとどまる（とみなされた）存在は「階級」という主題から零れ落ちていた——もしくは「百年後」の未来に棚上げされてきた——のである。

『死霊』の後半部で啓蒙の主体が旋盤工から津田安寿子に移行することは、一九七〇年代以降の「革命」的な主体がプロレタリア階級からそのような周縁的な諸アイデンティティに移行しつつあった歴史的状況に呼応している。この時期、「階級」という主題はすべてという地位から脱落し、それとともにジェンダーやエスニックといった概念が浮上してきた。ただしこのことは、それらが理性の利用の「公的」な地位を占めることを意味していない。ジェンダー・アイデンティティの論理の典型は「女性はすべてではない」という命題である。[48] それは部分が全体を僭称する「プロレタリア独裁」の否定をなしている（トランスジェンダーはさらにその対偶となる）。ジェンダーやエスニックの諸アイデンティティをめぐる政治は理性の私的な利用という「制約」をみずからに課し、政治を「私的」な領域に限定することで「啓蒙を妨げることなく、むしろ促進」しようとする。それは「革命」の放棄＝転向であると同時に、革命と異なる啓蒙の進展の開始となった。

旋盤工は湖水に沈められる直前、高志にむかって「お前はいま幾つになる……？」と静かな声で訊ねている。高志が二十三歳と答えると、旋盤工は「ほんとうにそうなら、俺はお前を許しておく」と重ねて言う。そして「革命をおこない得るのは、二十五歳以下のものに限られているからだ」[49] とその理由を述べるのだが、それは「未成年の状態」にあるものだけが「瞬間だけの革命家」たりうるという意味である。『死霊』はおそらくこの時点で「革命」を放棄していると同時に啓蒙のパラドクスを解決する企図も放棄している、つまり永遠の未成年状態としての「虚体」にとどまることを選択したのだ。もちろん埴谷自身はパラドクスの放棄をもってその解決とみなしている。もはや潜在性から現実が発生することはない。そのための方法がヘッケルの生命発生原則を転倒させた『自分だけでおこなう革命』の絶滅＝中絶という図式である。「ただ「自覚的」に子供をもたぬもののみが［……］「有の嘗て見知らぬ新しい未知の虚在を創造」する」。潜在性は中絶によって現実性から切断される。純粋な潜在性の場が「未出現の宇宙」であり、「死んだ胎児」にとっての死んだ母親の胎内である。『死霊』における人工妊娠中絶は人為的に「未出現」にとどまるための方法的選択である。

ただし小説家としての埴谷雄高自身は――高志が恋人に人工妊娠中絶を命じたのとおなじく――妻に命じることを通じて「大文字の他者」の位置をひそかに回復する。作中でわずかな断片として引用されるにすぎない『自分だけでおこなう革命』が旋盤工や津田安寿子によってあたかも聖典のごとく奉られるのはその徴候である。この家父長主義的な「大文字の他者」の回帰によって『死霊』はスターリン亡きあとの亡霊的なスターリン主義という「権威」を保持することになる。[50]

現在、スターリンなきスターリン主義体制への批判をほとんど唯一担っているのはフェミニズムである。もしフェミニズムが『死霊』の放棄した革命性を今もなお保持しえているとすれば、それはフェミニズムが女性たちの主体的な決定にもとづく人工妊娠中絶の権利を断固として肯定しつづけることによってである。ただしその決定の正しさを保障する「大文字の〈他者〉」は存在しない。ジジェクによる共産主義革命は自然選択への無根拠な「介入」といった以上の意義を超えていない。だが、フェミニズムが強調する女性の意思にもとづく人工妊娠中絶もまた、ジジェクのいう「出来事」への介入にほかならない。彼女たちは社会の新たな「主人」の位置を占めるのではなく、潜在性にとどまる権利をみずからに留保することで「「大文字の〈他者〉」の（非-）存在」という根源的な無根拠さを体現しているのである。

1――埴谷雄高・吉本隆明「意識　革命　宇宙」、『埴谷雄高全集　一四』講談社、二〇〇〇年、四三七―四三八頁。

2――埴谷雄高『死霊Ⅱ』講談社文芸文庫、二〇〇三年、一四〇頁。

3――川西政明『謎解き死霊論』河出書房新社、一九九六年、一二九頁。

4――埴谷雄高・吉本隆明、同書、四三八頁。

5――以下の記述はオルダス・ハクスリー『すばらしい新世界』黒原敏行訳、光文社古典新訳文庫、二〇一三年を参照した。

6――ミシェル・ウエルベック『素粒子』野崎歓訳、ちくま文庫、二〇〇六年、二一五頁。

7――同書、四二〇頁。

8――新たな種を生み出すための理論的な基礎を確立した生物学者ミシェル・ジェルジンスキの恋人は妊娠とともに子宮がんが判明し、人工妊娠中絶を施す。ミシェルがその仕事に専心するのは彼女の死をきっかけとしており、したがって中絶という出来事は『素粒子』全体のプロットにおいて見逃すことのできない重要な転機となっている。

9――埴谷『死霊Ⅲ』講談社文芸文庫、二〇〇三年、三〇三―三〇四頁。

10――埴谷『死霊Ⅱ』前掲書、一四四頁。

11――ウエルベック、前掲書、四二一頁。

12――埴谷、前掲書、一五五頁。

13――埴谷『死霊Ⅲ』前掲書、八七頁。

14――同書、八八―八九頁。

15――吉川浩満『理不尽な進化――遺伝子と運のあいだ』ちくま文庫、二〇二一年、一五一頁。

16――埴谷、前掲書、九七頁。

17――同書、二一三頁。

18――同書、一一〇頁。

19――同書、一一三―一一四頁。

20――同書、一一六頁。

21――埴谷「意識」、『埴谷雄高全集1』講談社、一九九八年、二〇五頁。

22——ピーター・J・ボウラー『ダーウィン革命の神話』松永俊男訳、朝日新聞社、一九九二年、一一九頁。

23——吉川、前掲書、一四七頁。

24——ボウラー、前掲書、一二〇頁。

25——佐藤恵子『ヘッケルと進化の夢——一元論、エコロジー、系統樹』工作舎、二〇一五年、二六九頁。

26——今日では胚の発生や分化の過程で体節の形成がホメオティック遺伝子によって制御されていることが知られている。ホメオティック遺伝子は海綿動物を除くすべての動物で確認されており、その起源はカンブリア紀以前まで遡ると考えられる（小原嘉明『入門！進化生物学——ダーウィンからDNAが拓く新世界へ』中公新書、二〇一六年を参照）。この事実はヘッケルが想定した祖先動物（ガストレア）とは異なるものの、多くの動物が共通する祖先から枝分かれした可能性を示唆している。ただし「進化」を集団における遺伝子の割合の変化と定義する現在の生物学では、それが目的論的に解釈されることはない。

27——スティーヴン・J・グールド『個体発生と系統発生』仁木帝都・渡辺政隆訳、工作社、一九八七年、二三二頁。

28——埴谷『死霊Ⅱ』前掲書、一五四頁。

29——埴谷「永久革命者の悲哀」、『埴谷雄高評論選書1　埴谷雄高政治論集』講談社文芸文庫、二〇〇四年、二二五頁。

30——イマヌエル・カント「啓蒙とは何か」、『永遠平和のために／啓蒙とは何か　他3編』中山元訳、光文社古典新訳文庫、一〇頁。

31——佐藤淳二「フーコーと啓蒙——自己へのオデュッセイアの途上で」、小泉義之・立木康介編『フーコー研究』岩波書店、二〇二一年、八一頁。

32——埴谷、前掲書、一六四頁。

33——埴谷『死霊Ⅲ』前掲書、三一〇頁。

34——同書、三二七頁。

35——埴谷『死霊Ⅱ』前掲書、一六八頁。

36——佐藤淳二、前掲書、八七頁。

37——埴谷、前掲書、一五九頁。

38——同書、一七八—一七九頁。

39——スラヴォイ・ジジェク『全体主義 観念の（誤）使用について』中山徹・清水知子訳、青土社、二〇〇二年、一三三頁。

40——同書、一四〇—一四一頁。

41——同書、一四二頁。

42——吉川、前掲書、五二頁。

43——九鬼周造『偶然性の問題』岩波文庫、二〇一二年、一五八頁。

44——同書、一六〇頁。

45——カント『判断力批判（下）』篠田英雄訳、岩波文庫、一九六四年、一三四頁。

46——埴谷、前掲書、一七〇頁。

47——カント、前掲書、一五頁。

48——石川義正『政治的動物』河出書房新社、二〇二〇年、四九頁。

49——埴谷、前掲書、一八〇頁。

50——一九八四年に起きたいわゆる「コム・デ・ギャルソン論争」は、「高度資本主義」の擁護者に転向した吉本隆明に対して、とっくに革命を放棄している埴谷自身が良心的な左翼として批判する——にもかかわらずどちらも自分こそ革命を継続しているつもりでいる——という捩れた構図をあらわしていた。しかし自身の転向を自覚していない埴谷の知的退廃に対して、ある意味で「加速主義」を先取りしていたともいえる吉本の知的優位がそれと別の退廃を招いたことは、吉本の遺産相続人を自認する現在の糸井重里を見ればあきらかである。このふたりの滑稽かつ悲惨な対立は、現在でも日本の知識人たちがしばしば反復している。

あるいは、わたしの回想

ポール・ヴァレリー

CAHIERS, XXV, 618-619 [OU MÉMOIRES DE MOI]
Paul Valéry

栗原弓弦［訳］

「問い」と「ディスクール」

今日ひとりの「詩人」にはいったい何ができるのだろう、何をすべきなのだろう。魂の、精神の、そしてこの芸術の現状に。

(1) 屋上へ立ち寄ること——

私は屋上へと登った、私の精神という建物の、もっとも見晴らしのよいところへ。自分の年齢や、度重なる内省、さまざまに立てる見通し——当たったものも外れたものもあるが——また、数々の成功や失敗、あるいは人々の名前や、固有名詞、批評の記事の忘却。そういったものが私をこの場所へと導いてくる。

そしてこの場所では、詩の夜空に明滅する星座——ひとえに言語の宇宙の法則のみに従う星座が、昇り、沈んでは再び姿を現すだろう。

夜空には『エロディアード』、『午後』、『ゴーティエの墓』なども明滅している。しかしそこに、もはや作者の名前はない。人間たちは、もはや重要ではないのだ。

そして私がこれらの《兆し》について思いを巡らせていると、

先に挙げた問いが生じたのだった。

あたかも一瞬、静止と静寂の力が働いたかのように、あるいは一羽の大きな鳥が突然私の肩に舞い降りて、瞬時にひとつの重量に変化したかのように、その問いは生じた。その鳥の重量は、私を掴んで飛び去ることができる、そう感じさせるほどだった。そして大きな鳥は、私から奪い去って行った。私と私の生きた七十年間を、私と私の思い出を、私が重ねてきた観察を、私の個人的な好みを、そして私の本質的な不正までも。

そして、私は「自分が作らなかったすべてのもの」の価値や美しさのすべて、素晴らしさのすべてを、いっそう知ったのだった。——

「それが、あなたのしてきた仕事なのです。」

ある声が私に語りかけた。

私は「自分が作らなかったすべてのもの」を見た。

そして私は「自分が作ったもの」を作った人間なのではないということを——「自分が作らなかったもの」を作らなかった人間なのだということを——しだいにはっきりと悟っていった。

自分が作らなかったものは、だからこそ完全に美しく、それを作ることの不可能性と完全に一致していた。

しかも、（これは他人にはわかり得ないことだが）私はそのことを目の当たりにし、理解し、そしてこの手で掴み、触れたとさえ言えるだろう、異常ともいえる極限の精度をもって。

もしお前が望むなら、私の理性よ、私はこのように言うだろう（お前はきっと私の好きなように言わせておいてくれるね）——私の魂、これはお前の魂でもあるのだが、この魂は自身の形を、宝石箱が空っぽであるような形、あるいは鋳型の窪みのような形だと感じていたんだ。そして、その空洞を満たす何か素晴らしいもの——存在し得ないある種の物質的な配偶者を待っているということを、この空洞自身が感じていたんだ。——というのも、この神聖な空洞の形、この完全な不在、この〈非‐存在〉でしかない〈存在〉、そしてこの〈存在〉し得ない〈存在〉は——まさに不可能な物質を要求していたからで、しかもこの生ける空洞の形は、求めるその「物質」が、この肉体と行為の世界には欠けているということ、そしてこれからも永遠に欠けたままであろうことを知っていたのだと……。この世で見つかる欠陥や悪を次々と否定していくことによって神の属性を作り上げ、そうして思い描いた神を信仰する人間は、このようにして、その神の本質的な存在と不在の両方を感じなければならない。たとえ内部を見通すことのできない領域にも、そのどこかには中心が必要であるのと同じように。われわれは、そのわかり得ない領域の表面を探索し尽くし、点と点同士の関係を推察した挙句に、その領域（sphère）が球体（sphère）であること[2]をやっと認識するのだ……

私の仕事とはこのことであったのだ。

苦労が、苦悩が、さまざまな出来事が、ひとつの人生における穏やかさと険しさの両面が、とりわけ希望が、しかし同じくらいに絶望が、眠れなかったいくつもの夜が、魅力的な友人たちが、現実の女性たちが、時間が、日々が――目まぐるしい時代[3]が、重ねてきた愚行の数々が、思わしくない時期が――ああ――こうしたもののすべてが、そして多くの歳月が――必要だった、これらがみな必要だったのだ、嫌悪、あるいは軽蔑、あるいは後悔、あるいは自責、そしてこうしたものすべての混淆と、その一切の拒絶が必要だったのだ、存在と、さまざまな経験が渾然一体となった塊が、その内部に自ら空洞を穿つために。この穿たれた核、この奇跡の空洞[4]、度重なる否定がついに作り出した傑作――この耐えがたいほどの傑作、それは純粋な不可能の勝利なのだ！……

ここで⑵冒頭の問いへ――つまりあの詩にまつわる意欲の分析、そして何よりも恐ろしい「なぜ」の分析へ――この「なぜ」が要求しているのは「人間に関して、今日の現状をどうにかしたいと望むそのエネルギーは、いったいどこから湧いてくるのか？」ということだ。きわめて優秀な人間たちでさえ、その場の瞬間的なことにばかり囚われている――彼らはこのように考えることができないのだ、すなわち作ること、それは自分自身を作ることなのだ、と。

［底本］

Paul Valéry, *Cahiers*, édition établie, présentée et annotée par Judith Robinson-Valéry, Gallimard, coll. « Bibliothèque de la Pléiade », Tome ll, 1974, p.688-690.
(Paul Valéry, *Cahiers*, fac-similé intégrale, C.N.R.S., 1957-1961, XXV, 618-619.)

［参考文献］

『ヴァレリー全集 カイエ篇』第七巻、筑摩書房、一九八二年、二〇〇―二〇三頁。
ドニ・ベルトレ『ポール・ヴァレリー 1871-1945』松田浩則訳、法政大学出版局、二〇〇八年、六二九―六三二頁。

1――ステファヌ・マラルメ『半獣神の午後』。

2――« sphère » はこの一文中に二度出てきて、一方のみ下線で強調されているため、片方は「球体」以外の意味を含む可能性があると判断し、本稿では強調されている方の « sphère » を「球体」、強調されていない方を「領域」として訳出している。

3――プレイヤード版『カイエ』では « siècles soudains » となっている上で、「読み難し」と註が付されている。手書きのＣＮＲＳ版で確認できる限りでは、« siècles » のみが読み取りづらい筆跡になっている。

4――原文では « — ce noyau, merveille, » であり、「穿たれた」「空洞」に直接相当する語はないが、この「核」は文脈から「穿たれた空洞自体」を指すと思われるため、直前の「存在と、さまざまな経験が渾然一体となった塊」を「核」と解釈する可能性と区別するために、訳者によって補っている。

この文章は、プレイヤード版のポール・ヴァレリー『カイエ』第二巻の « Thêta » の章、筑摩書房の『ヴァレリー全集 カイエ篇』では第七巻の「神について」の章に収録されている断章であり、ヴァレリーの死の三年前にあたる一九四二年に書かれている。« ou Mémoires de Moi »（あるいは、わたしの回想）というフレーズは、今回便宜的にタイトルのように扱っているが、もとの手書きの状態を見る限りでは、本文の左側上部に、あとから小さく走り書きで付け足されたメモのようなものと思われる。

前述の『ヴァレリー全集 カイエ篇』に市原豊太氏による当該箇所の全文の翻訳があるほか、ドニ・ベルトレ『ポール・ヴァレリー 1871-1945』の中で引用されている当該箇所の一部を、松田浩則氏が翻訳している。翻訳にあたって、この二つの訳を参照させていただいた。この場をお借りして諸氏に感謝を申しあげたい。

アントナン・アルトー『イヴリーの手帖』との対峙

CAHIERS D'IVRY
Antonin Artaud

原智広［抄訳］

[22v.]

神の裁きと訣別するためにと同じように[1]
論理的に導かれたある特異な身体のもと
その身体はすべて外部へと遺棄され
現実を歪曲したことを認めるようにと
私はあまりにも酷いことを要求され
寄生虫の大群によって（精神の）
執拗に責められた[2]
病原菌の
末成りどもの
出来損ないの
細胞のようなちびどもの
ひどく醜悪な催淫作用のある闖入者の
ズタズタにされた傷口の
唇の厚い吸血鬼の
或いは顎鬚を生やした奴ら
ライム、ラボット、ブドウの絞りかす

腺毛された、もののしさ
艶のなくなった釉薬　鶴嘴
錐　雲の切れ目　別の色に混ぜた色 etc etc

[23r.]

どのようにして古代の精霊は
この世に召喚されたのか?
まるっきり無知なものどもの嘲笑を堪えて
地獄へと行かないように
出来事を何らかの見えざるものが隠蔽し保護している

——

そう、それゆえに
黒い胎児[3]
四人のドイツ人
死骸の嘔吐感
ジョルジュ・ブラックへの手紙
生まれたてのアニーへの手紙

私自身による神についてのテキスト

[23v.]

神たるものはもはや何処にも存在しないとして
だが　私自身　そう　存在者のように振舞い
特異性のある　この肉体は　また、
私は神の微菌なるものに侵され　執拗に責められ
(そういうわけで)かつて、存在していたということが

1——『手先と責苦』の4つのテキストとほぼ同じ内容。少しだけ構成や内容を変えている。(『アルトー選集』一四一三頁)

2——『手先と責苦』では、「私は侵略され、損傷を受けた」と書かれているので、敢えて書き直して表現を変えている。(『アルトー選集』一四一三頁)

3——ポール・テヴナンの手によって、六行になるように編集されている。『手先と責苦』(『アルトー全集』十四巻・二三八頁)

そのような【存在するということ】[4]が歴然たる真理を捻じ曲げて
そう極めて　悪意に満ちた　その存在たることを忌み嫌い　この世から断絶すること
その肉体から完全に解脱し　肉体は別の肉体であるさまを強調し
生命たるビオール［擦弦楽器］が奏でられ
毎晩、私は罪（神に対する）を嘲り
穢され　~~冒涜された~~　みすぼらしく泥で汚れ
卑猥でひどく不潔であるさま
私が産まれて以来
人間たるものは何処にもいない[5]という確たる記述である
あの、そう、世界全体の物語を書いた
終末論を唾棄し
私、アルトーの手によって
ある実在性を真なるものへと根源的に変える

[24r.]
私は忌み嫌う神たる存在にそれが

起こることがまるで予告されたかのように
至るところで虐待され、痛めつけられた
マルセイユで、短刀で突き刺され
パリで、短刀で突き刺され
ダブリンで、棒状の剣で突き刺され
脊柱を二つに割られ
神たる存在の所業であると私は確信しているのだ
また　私にとって
私が覚えていることは
蹂躙され　暗殺され　根こそぎ奪われ
毒を盛られ　幾たびも死が襲いかかり　電気ショックを受け
また、意識を呼び覚ますことを阻害され
暴力に直結する無知蒙昧たる科学に対する秀でた才能を絶滅させたのだ
そう、私自身は、あらゆる脅威から身を守るため
執拗に追い回し、迫害したものどもを八つ裂きにし、ギロチンにかけ

したがって、神たるものとは、真実の名を呼び覚ますもの
そう、私、アントナン・アルトーのことだ

[24v.]

深淵（計り知れぬ）と無の間（あわい）にある名づけようのないこの種の
名もなき名は、無と空（くう）と深淵によって保全され
また　誰かが名づけることなど断じてないし、名を言うことも
不可能である
それはある肉体と同様に、そう、アルトーがある肉体に対し
て言及するやいなや
想念や理解などなしに、肉体は生み出される
また、生み出された肉体は消滅し、（誰もが）非有なものとし
て存する
或いは、その肉体の様相は計り知れない深い穴であり
1なるもの（肉体）は決して到達出来ない外観と表層を宿し
その深淵たる肉体を通して［超現実］（人間そのものの革命）
を啓示する

4——この世の断絶
様々な領域を漂流、絶対的に明晰であり
白痴のようでもある
性なきあるアウラを帯びた性器
私は産み出すだろう

素早く疾走する残像、散り散りの生、性なき処女
帯状に連なった受胎なき子供たち　身体の解剖　エトルリア
全世界の根源たる容器たるものを今宵は記す独自の言語をもつ
ヘーシオドスの記述による　原初の混沌、テオゴニアーに由来する
のか？　次の言葉を神楯もつゼウスの娘、オリュンポスの詩歌女神た
ちは？　たくさんの真実に似た虚偽を話すことが出来ますようやくい
まふたたび光明のうちへと戻り来ったか？

5——ダンテのことなのか、或いはキリスト原理主義を解体することという含意。ルネサンスにも、オカルティズム（占星術や魔術）も含まれるようにも思われるが（これはしばしば議論がある。）それら、すべてのとの対峙。

[25r.]

神たるものの聞き手である
チベット人たち
モンゴル人たち
アフガニスタン人たち
無限たる深淵を彼らは喋る
この世に存在しない隠れ家で神を観測し
絶えず錯乱しながら
穢れなき自由たる渇望
心臓の中心を無意識的な声が通る

言葉としての音綴が
舞い上がり
高く登った地でそれらを聞く
　AR-TAU
誰であれ秘伝を授かり　天声
それは尊きとある使命である
ある力はしかしそれを人間のものとはしないのだ
秘伝でもなく、現実でもなく　空想でもなく
その力はこれがある故に人間であるというのではなく
何かに縛りつけられる人間がいるからではなく
人間そのものが存在することを禁じ
その後で解放されるだろう

[25v.]

私は散々蹂躙され、苦しめられ　殺された
秘儀に通ずる現実性などなく
私、アントナン・アルトーが、一八九六年、マルセイユで九月
十四日に生まれ、誰もそのことを記録するものなどない
この人間たるものの権化、記録する作家がいるとしたら、そ
いつは悪意の塊だ

[26r.]

ありきたりな狂気を逸したもの

眠りや芸術に反して
~~輝く（du petit）~~
イスラム神秘主義者は支配されることから脱し
聖体布入れにあるクリトリス
すべての有害なるものは神経が逆立ち
無限に性的なものは解放されている

私はもう何も知ることはないだろう
すべての私の感受性は瞬く間に
そう、ほんの一瞬の間に
どこで私が感じ、いかなる感性も磨けば磨くほど冴える
私にとっては同様に、強烈に、存在感たるものに反吐をもよ
おし
感情、能力を目覚めさせた、自由意志によるものとして
それゆえに、私の意志は、私が果てしないものを覚醒させる
ことを知っている

[26v.]
そして、無価値の論点は決して人間に属するものではなく
容赦のない侮辱は漂っている
それはアルトーの身体であり、空間上を隔たり染み入ってくるもの
先天的なひとつの発狂を堪えること
すべてそれは生であるが故に生み出された
神によって作られた粘土に由来するもの
その身体の中にある粘土は汲み取られ
そう、復活したのだから
その本物のアクチュアリテ、それが織りなすすべてのもの

[27r.]
いずれにせよ、本物の実在性は復活する
日々、生み出されたある実在性は
あまりにも台無しにされ　私の血によって根こそぎ奪われた
私が存在と忌み嫌うもの
その精液は唾液と共に、私、アルトーの中にある

それはバターのように加工され飛来した
また、バターの櫓はチベットにあるとして
これは構造的な支配の表徴でもあり
存在を超えて、私の実在性は構成されたのだ
それらは豚肉のようでもあり
あるひとつの指標ともいえる

[27v.]

その実在性を要求するために
ある存在たちは私をドロドロしたものへと生まれ変わらせる
私は、精液にある一〇〇〇の仲間たちを生み出すことを可能にさせ
その中で一〇人の人間が生み出されるだろう
その生は、既に生み出されたものとして忘れ去られている
誰が働きかけようともう、知られることはない
それは同時に別の身体でもあるからだ
また、誰がその生を復活させようとも
何らかの許しがたい罪

葬り去られたアルトーに反して

[28r.]

マスターベーションをし全滅し打ちのめされ
それは常にその生を復活させるものとして
私は友人たちに繰り返し言うのは
その存在たちは決して忘れ去られることはなく
どのように近づこうとも魔術を通してアルトーは存在を八つ裂きにする
口の中にある唾液を汲み取ろうとも
その糞は鼻骨の中にあり
その精液は恥骨の下にあり
どのような、いかなるものであろうと
分厚い唇は精液と唾液を混ぜ合わせて細胞もろとも葬る

[28v.]

ベッドの周囲にある夜
~~どれほどの空隙がえぐられようとも~~

見知らぬ
皮膚の膿疱の専門家
外皮を切開すること
奇怪なまでの空隙を膨張させ
細胞組織にある擦り傷から血膿のような
もの、その下に[6]

[29r.]
それらの外皮はすべてを超えた吸角によって生み出されている
極度の疲労を振り絞って
また、そういうわけで、アントナン・アルトーの精巣は化膿し
ていると感じ
一〇〇〇の頭の中枢は循環し
私の　エデンの園のような高みに置く
嘲弄されつつ［誰が］　素晴らしいものであること　素晴らし
いものであること
だから暴かれることもないし、見抜くものもいない

6――『カイエ』一九四七頁
尋問台の天空にかけてある　ある空間で
思考や存在と呼ばれる空しいものの響きが騒ぐ
存在たちが思考するのは私が在るからにすぎないのに［一度拒絶した
にもかかわらず］
私はもうとっくに自殺しているというのに
極限において　そう
崇高な苦痛の状態へと飛び込み
意思を感じ、ある意識は洗練されたものを超越し
考えることで生まれることなどもはやない　念入りに皆殺しにすること
もううんざりだ　ざわめきたてるな　異語を問うな　存在たちなどない
始まりなどない　一切が混沌であったような　煌めき
始まりはあったというのは　愚かだ
混沌は私を殺すことから生じたのだ
主要な意志
主要な性質
妬み
否定することしかできなかった
創造についていえば
そういったものは私によってではなく
精神どもによってでっちあげられたものであり
存在たちはより一層私をうんざりさせる

突然、悪しき精神が棲みつくこともない

[29v.]
私が此処にいること
あなたは知らないだろう
私は何処にいようと私は他所からやってきた

したがって、私、アルトーは耐え忍ぶ
絞り取られ　メスで切開され
何者かから除去され　ぎりぎりに迫られ　舌で舐めまわされ
それはすべて生の中にある

アントナン・アルトーが苦痛の叫びをあげるのは
結局のところ譫妄状態であるということ　私自身　そう

[30r.]
電気ショックが素早く身体を痙攣させ
精神を治すためだと信じ込まされ
だが、私、アントナン・アルトーは精神など微塵も信じていな
いのだ
精神などというものはそもそもない
だが、人間はあるものだと信じ込まされている
~~どれほどの聖職者か知らないが私はそいつに唾を吐きかける~~
~~銀行の金融資本家を殴打する~~
~~国家元首、ブルジョアどもをなぎ倒す~~
誰ももう決して生み出されることはないと
別の現実で支柱に張りつけられたために
卑しい生を私は咎める

[31r.]
もう、誰も、もう何も
一つですら役立つものはないというあらましは明らかであろう。
だが、アルトーは人間（存在たち）を通り抜けて、一切干渉せず
それはすべて、唯一の自由を奪還する方法である

したがって、魔術とは、アルトーの中に入り浸透し
内部から世界を告発し
その魔術とは人間という容器を破裂させ、くたばらせるために
産み出されたものであり、アントナン・アルトーは
悪魔どもを囚えることに成功した
私とは、アントナン・アルトー、九歳の時に
表向きには譫妄状態の最中、悪魔どもを説き伏せたのだ

[31v.]

精神錯乱の最中、私が生み出したものは、現在も、そう、魔術
である
私は三年間もロデーズの病院に監禁され
その前の三年間はEVARDに監禁されたのだ
また、そこで拘束された状態を保つことを強要され
眩暈と覚醒、一日ごとの聖体拝領、兆し、発端、息遣い、呪い、
精神科医は私を執拗に責め立てた

魔術とは私にとって
まるでどろどろした空気の中で呼吸をするかのように体現する
ことだ
それらの体験の最中　私は魔術を見出した

[32v.]

私の意志を通して投影された
拘束具　巻上機
頸上部　また
絞首台

私はあなたたちにいつ私が産み堕とされ
そして復活したのか
言及するだろう
一〇億トンものコカインとヘロイン
社会による耐え難い重圧
それらによって私は打ちのめされた

九つの聖典
聖霊の働きによる
ただ一人きりのものの助力によって
私は杖をつきながら疲弊しつつも見出したのだ

[33r.]

一九四七年一月八日
アントナン・アルトーは
再び作り上げられたのだ
私は疑いようのない幾つもの現実を
［私がそれを熱望するように］目撃するだろう
また、1なるものも存在し得ない
また、1なるものは望もうとも在らず
ただ、そこに体感されたし1なるものを生み出す
ことを望み、ただそれを掴むことすらままならない
生み出すことを望んではならない
そこに可能性としてあるものであるから
生み出すことを望んではならない
ある偶然性によって、定められし　生まれしもの
例えば　マルテ・ロベールやアルチュール・アダモフのような
ものたちは
変わらず淀みなくそこにある

[33v.]

何度も繰り返し生の耐え難き狭間で
女たちは周期ごとに勤勉に活動しはするが
私は苦痛を繰り返すだけで、危機に直面しつつも蘇り
私がそこに何かを発見し到達することはなかった

——

男は大地の下で少しずつ浸食されもがき苦しみ
爆発物を伴った膨張した身体であり
覚醒され、突然変異を引き起こし、また、別の世界に突き進み
古くからある伝統や家系、文化や社会を根こそぎ葬り去ること
で完全に別離した

糸くずのような肉体は
幾秒後も、幾時間後も、　幾日後も、もはや時間感覚もなく、放置されたままなのだ

したがって、新しさとは、厳密には一冊の旧約聖書[7]を消滅させ
世界の外側[8]にある、とある空間の、とある地点の、とある地上の
さらに言うならば、その間に並外れた、別の世界へと繋がる、
小さな裂け目が私にはありありと見えるのだ

7——旧世界か、旧世紀か、紀元前か、旧約聖書かはたまた古代全体を指すのか、恐らくアルトーの宗教観に基づくと旧約聖書なのではないか。ただ、逐語訳するならば、書物を指すことはないと言えるだろうが、キリストの否定、旧約聖書の否定が重要だと訳者には思われるのでこの訳文を用いた。或いはひとつの西暦（世紀の記憶）という解釈も出来る。この場合は、アルトーが以前語ったように、紀元前（約二千年前）以上前には遡らない。それ以前は現在の人間はいない、世界の終わりですらないとロデーズの精神科医だったガストン・フェルディエールの質問に答えている。また、約二千年前のエルサレムでのエピソードに関して。私、アルトーは五十歳であると言うことも出来るが、エルサレムにいた時代は三十二歳と七か月であり、エッセネ派に属する男色のユダヤ人司祭（自分は聖霊から生じたと主張していた）とサレム嬢、マリー・サレムという人とジョセフ・ナルパスという人の息子が一緒にいた。虚無を前にして堂々巡りをしているキリストがいて、最終的にはユダヤ人司祭は逃亡し、聖パトリックの杖と共にゴルゴダで十字架にかけられたのはマリー・サレムとジョセフ・ナルパスの息子でもなく、アントナン・アルトー、私であると主張する。この体験で、精神＝霊というものを一切今後認めることをしなくなったし、人間たちの内なる心に語りかける精神＝霊の実在を否定することとなる。アルトーの後期はしたがって、精神という言葉自体すらほぼ使わなくなり、使われたとしても否定的な意味である。「人間であって、ひとつの霊、または精神であるものを　いかに定義するのかこの私にもあまりよく分からない。」（『アルトー・モモのほんとうの話』鈴木創士訳を参照した。）

8——グノーシス的宗教観を持っていたアルトーは世界の外側、或いは世界の外、別の世界というものがあると、確信していたと訳者は思っている。これは一般的な訳ではない。ただ、アルトーを知る上で重要なこと（アルトーの発言が根拠となる。キリストの否定、世界の否定、現実はいまだ完成されていない、再構築せねばならない etc.）なので、世界の外側という意味を拡大解釈した。

[34r.]

すぐさま、形状は失われるだろう
現実に私の身体はアウラ[9]「神秘主義的、オカルト的なもの」と訣別した
だが、恐るべきやり口で私の身体の密度はさらに高まり
実際のところ、日に日にその兆候は強まっている。

さて、私は無からの創造、現実は未だ完成されておらず、現実を再構築すること
そしてこれらの構造、規則、しがらみ「呪い」[10]すべてと闘争する、召喚されたある人間である

私そのものは外部に身を置き
この世のものならざるものを体感し
現実そのものを越えること

人間どもは、腰抜けと臆病なものどもで溢れかえり
私の目前に人間どもはその醜態を晒しつつ身を置きつつも
精神、頭脳、知性は破壊されており
世界の修復をただ待っているだけなので
何もしようともしないし　目が覚めることはない

[34v.]

確立された文法の形式
根源的な純潔な欲求から
非常に多数の文章の列から成立する
私に激痛を与えるものどものざわめき
女性器から発する薄汚いものの数々を浴びせかけられ
性なきものとして、私はそれの先を行く
したがって、私は絶えず一個の大気の中に身を置き続ける

私の心臓の前にそれらを置いた
それらは、尾骨の下の肛門の周りに配置され
それは存在のことであり、それらは

9——神秘主義に一時期深く傾倒していたアルトーは『存在の新たなる啓示』という著作を書いている。その内容はカバラや占星術、ヨガやダルシャナ、ジャイナ教、呪術など多岐にわたる興味深いものではあるが、訳者はすべて内容を把握している自信がない。ただ、比較すること自体が無意味であるが、シュタイナーの神智学よりは遥かに興味深いとは思われる。だが、アルトーは後にその著作は過ちであったと『存在の新たなる啓示』を否定している。アウラは従って、それら全体のことを示している。また、これに付随して、アルトー初期のリヴィエールとの往復書簡の思考の不能性について。全く考えることが出来ないという氾濫状態とイマージュと喚起によって現実は浸食されると同時に翻され、攪乱され、破壊され、ある散り散りになった実在性を帯びた血液（細胞が呼吸するように、或いは植物の光合成のように、進化の過程を辿りながら横断せよ！）が沸点に達した時に、身体＝無化した崇高なる残骸となり、アルトーの後期のエクリチュールは非意味であると一読すると見受けられるがそうではなく、新しい言語の創造であるとはある観点では言えるかもしれない。一番適切な表現は比喩的な表現だが、空洞の身体を通して水のように浸透する文節から構成されたカイエそのものであるし、そして、アルトーの文節そのものが、神の微菌であり、それらがばら撒かれたときにici niostel（ニオッセル）状態を引き起こす。ニオッセルとは『イヴリーの手帖』「カイエ 235」［11r.］に出てくる、アルトーによる造語のことであり、訳者の観点から補足すると、散布そして神の菌の増殖→生命連鎖反応（新しい身体の誕生）→文学の完成（分裂病という傾向は多少あるにせよ、本質的には関係がない。私はアルトーは分裂病ではないと考察している）→本来の現実の奪還という一連のサイクルを指す。それらを体感したその果てに（イヴリーの自宅で死ぬ直前に片方だけスリッパを握っていた）、ある別の世界の光景にアルトーは直面したのだ。

10——訳者の補記。アルトーが度々言及している「呪い」というのは、この社会の諸構造を存続するための発端の事件（人間の誕生及びそれに伴う社会の構造の形成）のことである。重要なのは、アルトーが「呪い」をかけられているということではなく、アルトーが「呪い」を告発しているということだ。グノーシス的な世界観によると、今の世界は本来の世界ではなく、デミウルゴスという偽の神が造った不平等や嫉妬、虚偽、悪意に塗れた世界である。そのため、本来の別の完璧な世界がある。アルトーがキリストを真っ向から否定するのは、神学的な闘争と訳者は思慮する（スーザン・ソンタグなども指摘していることではあるが、ソンタグのアルトー論は飛躍がまるでなく極めて凡庸な論考である。つまり端的に言えば三位一体を否定している教義、カタリ派、マニ教、グノーシス主義など）。「神の裁きから、そしてそれを引き写したようなわれわれの判断力から訣別するためには、人間本性を変形する必要がある。神の裁きから訣別した後にただちに問題化すべきこと、それは次に人間本性それ自体から訣別することであると言える。」（『残酷と無能力』江川隆男）

あまりにも巨悪な獣のような奴らであり、またそれらはすべて
地上を原因として引き起こされる

ある生の
そのある生の
とある生の
生であることである生
生そのものの生

ある骨格と神経図

私が私であることの私たる生

[35r.]
生み出すことそれ故に耐えられないほどの
重力と落下　円熟性子音
幾つかの層に侵入し
揺るがぬ、貫徹なる肉体を通して
その中で「」を発見すること
大腿骨を歪めながら
心臓のあらゆるところで随所に
彼らは確たる巡礼者、信仰者としてひとつの肛門の前に憚り
神はそこから出現してくるのだ
私がドアから出て
イヴリーの23番通りにいる間
したがって、地上のへりに　今　いる
神たるものに対峙している　地上に降臨した一人の人間は
神の代理人として任命され
それは現在においても私の身体そのものすべてを揺るがし
そう、頭からつま先まで甲冑に身を固めたように
慄き震えなく立ち振る様を
それは後で尚も変わらずさらに身体は張りつめて
この結果、余波　帰結と残響　電気　雷鳴　響き　地割れ
道筋　従者たち　その間（あわい）に光刺す（射す）

[35v.]
造られた幾つかの現実は実際のところすべて破壊されたまま
であり
このことは誰が仕向け望んだのかそのまま放置され腐臭を放っ
ている
我々はそのことを何としてでも阻止せねばならない

我々に時間は無限であるかのように信じ込ませることによって
強迫し、迫害され、我々が危機に瀕していると
感じさせ、絶対的な1なるものが［本当の現実が］
確立されることを阻害することによって
一時的なまやかしにすぎない安息をちらちらと誘惑することによって
毒を盛り殺害を試みることによって
堕落させようと仕向けることによって
悪魔に屈せよと囁きかけることによって
うんざりするほど退屈な日常を強要することによって
目覚めることのない眠りを強要することによって

[36r.]
確固たる力の緊張が沸点に達した時
彼自身は消え去ることになるだろう
ki－ka－
ki　ko
ko　ki =
ko　ko
受肉から散り散りになるように滅多切りにする

———

ある日、私は聞こえていることを完全に理解した
糞まみれの神よ　そこのお前！
お前を切り刻み食い尽くし
我々の行先を阻み
電気ショックを浴びせかけ身動き出来なくさせるなら
お前の息の根を完全に止めることだ———
私は人類に愚かにも嘲り　迫害することをやめるようにと

本来の人間を取り戻すことを教えたかったのだ
人間を凌駕してすべての現前に立つことを

[36v.]
そして、私は私を消滅させようとする一個の存在と私自身とを
区別するのをやめた
私自身は同一でありながらも
ある隔離されつつも安息を感じる空間[12]で、私自身を越えた私自身を
待ち望み、私は私自身を体感するようにすべてを浸透させたからだ

私はもううんざりするほど見てきた
二つの睾丸の間で
私の陰嚢、滑らかな皮膚の上の間で
頭の狭窄部の間で
私は目撃した
原子の、
私の内側にあるものを侮辱し、八つ裂きにし、嘲り、罵り、バ
ラバラにし
父、母、息子たち、娘たちはやって来る
私はすべて（父、母、息子たち、娘たち）を連なって世界の前に立ち
私たるものはこの世と訣別するために
このことは、世界の起源からずっと繰り広げられている闘争なのだ

1なるものが現在も目撃している人間以前の人間、血縁関係の
ある祖先たちを崇拝している像［トーテム］がいて、私は闘争
を繰り広げ、臥所に落下しつつも賞賛される
私に何らかの願望を求める尻軽女でも畜生どもでも
苦痛を激化させるこれらの痒みにかき乱されることはない
誰であろうとも　いない　ここにはいない

[couverture r.]
悪魔どもが作り出すもの
そして、その間抜けどもの所産物

これらの空疎な餓鬼どもは何も考えていない上に
その暮らしぶりときたら日に日に悪化するばかり
そして彼らにその生はなく、絶対に生まれることもない
私は彼らの存在を拒むし決して容認しない

神の無力さ［生得観念］からすべて起こったことだ
私は閉ざされた棺の中にいる

——

一九三九年、イヴェールの精神病院で
私はこうした悪魔どもを払い除ける護符を作ったのだ
切断された小さな紙片の数々に基盤目状に線を引き
ただ線を引くことだけが即ち聖域を創ることであった　とても
助かる見込みがないように思えた
私は不動のままの状態で数々の人物像、挿絵を描き、喘息を患
いつつも
すべてに由来する苦痛からくるものに引き裂かれ
痙攣的呼吸を発しながら
憔悴しながら、激情に苛まれながら
ひとつの生を再構築したのだ

11——caca はフランス語で糞の意味。その言葉を捩っている音声的な表現。アルトーは好んで糞便性という概念を使う。「糞の臭うところには存在が臭う」アルトーは caca ではなく、kaka と表記する。アルトーの代表作であるラジオドラマ『神の裁きと訣別するために』での kaka を強調した音声詩たる表現は有名であり、後に文字主義者（レトリスト）たちの音声詩の表現もアルトーが元祖だと言われ、フランスでも元々レトリストだった、ギー・ドゥボールの再評価に伴い、音声詩に関する論考『新しい詩および音楽の手引書』（ガリマール社）を発表したイジドール・イズーを中心とし、モーリス・ルメートル、フランソワ・デュフレーヌ、アンリ・ショパンなどの研究が進められている。

12——原文ではトイレをもじったような造語になっているが、長年、アルトーが痔に苦しんでいたことを考えると、トイレは或る意味では聖域のような場所になっていたのではないか、同時に苦痛を味わう場所でもあったので、アルトーにとっては特別な場所ではあったと訳者は解釈し、この表現を用いた。

スコラ学的解体とキリストの否定、存在を忌み嫌うことについてのアルトーの韻律法

原智広

後期アルトーのテクストの大部分は『カイエ』という実験場から生まれた。文章（フランス語でないもの、造語も多々見受けられる。音感だけの造語、造語自体に意味があることもある。全体の二割程度。）やデッサンを昼夜問わず、取り憑かれたように書き続けた。これは一読すると、意味不明な部分もある。ただ、単純にカオスというものではなく、ある種洗練された法則に基づいていると私は確信している。つまり、キリストの真っ向からの否定、徹底的に貫かれた強度に基づく、存在を唾棄すること、このエクリチュールはアルトーの記憶の派生に基づいているように思われるが、敢えて指摘するまでもなく、幼少期の髄膜炎の発症からこの問題は始まっており、思考の不可能性について、ジャック・リヴィエールにあの往復書簡で指摘したように、連続性の中で、死闘を繰り広げ、常に痛みと共にいたのだから。それは精神をなきものとし、晩年は存在そのものを吐き捨てることによって、自身の集大成ともいえる『カイエ』、『手先と責苦』、『イヴリーの手帖』を書き上げた。常人では不可能ともいえる思考の速度、しかし、生の中に居座り続

けるために、アルトーは圧倒的な速度で書き綴らねばならなかった。これはヘーゲル的な意味である「歴史」を無論のこと嘲弄しながら超越する行いであるし、かつてプラトンが夢みた「イデア」たるものをある意味では体現している（心の目」「魂の目」によって洞察される純粋な形という抽象的概念ではなく、生きること、ただそこにある身体を通じて、別の身体をつくりあげること、そしてすべての言語的表現の源泉となるのだ）。

度々指摘されることではあるが、精神病理学の分野でアルトーのことを語るのは大きな過りである。精神分析家であるジャック・ラカンは実際にアルトーはもう二度と書けないのは間違いないと誤診しているが、アルトーは九年間にも及ぶ精神病院の監禁状態から生還し、僅か二年間で『ゴッホ論』『神の裁きと訣別するため』『カイエ』『手先と責苦』『イヴリーの手帖（カイエ）』など尋常じゃない量のテキストを書いている。したがって、アルトーが分裂病であると安易に指摘することはしてはならない。アルトーは分裂病ではないし、実際に精神などというものはアルトーに限らず、誰であっても統合などされていないので、我々全員が分裂病ということになってしまう。少なくとも、それを表面化することはアルトーを理解するうえで、大きな誤解を生むだろう。

「アルトー症例」について少しだけ言及すると、アルトーはラカンの他にもガストン・フェルディエールなどの精神分析家に分裂病だと診断されたが、その後、論理構成された明晰なテキストを書いているし（前述のゴッホ論に代表されるテキストの数々）、分裂病患者だと診断されたものが、このようなテキストを書いた例が歴史上一度もない為に、あくまで医学的見地から便宜上「アルトー症例」と名づけているだけであって、精神分析とはほぼ関係がない。（要は考えられなくなる、論理構成出来なくなる、書けなくなる、という状態からアルトーは生還したのだから。）実際に精神病院に監禁されていた当時、何も書けないときはアルトーはただ線だけを書いていた。棒状の線だけをひたすら書き殴っていた。アルトーのテキストは絶対的に明晰であり、異論の余地がないと、ブルトンも賛辞をおくっているように。（『ゴッホ論』）

生の中に居座り続けるために、書き続けたのはもちろんではあるが、性や性別すら（これはヘリオガバルスを発端としても）なきものとしたのだ。アルトーにとっての「存在」とは思念、断片、切れ端、粒子、空気中に漂うもの、声、臭い、象徴、エトセトラ、それ以外のすべて、つまり、大まかに言うならばアルトーの外にあるものすべてである（糞の臭いのするところには存在が臭う）。本当に簡単にイメージするなら数千人規模の意識である。だが、集合的ではない。それぞれが分裂して襲いかかってくる。だが、もっとすさまじいものを予感させるのだ。だから、一番適切な表現は電気と雷鳴である（魔術的ネットワークと言っているが、この意味は今のインターネットに近いものがある）。

外部から身を護るために、あらゆる「存在」を告発するために、独自の新しい言語をつくりあげ、異常ともいえる思考の速度で、圧倒的な強度のある文体をつくりあげた。

これは意味と非意味の中間に位置するものであり（言説のはぐれ雲といってもいいような）、あのガストン・フェルディエール博士による五十一回にも及ぶロデーズの電気ショック療法のせいで意識の混濁と明晰が交互に訪れ、ますます明瞭に見えてくるものがあったのではなかろうか。私はこれに関して何も言う術を持たないが。（当然のこと。アルトーを理解するならば、アルトーと同じ生を生きねばならないからだ、そしてその生から免れることは決して出来ないからだ。）

アルトーが晩年、存在と忌み嫌ったもの、唾棄したもの、精神は既に遠く離れて自然が睥睨していると同時に別離し、絶対的明晰さと共に降りてくる真理のような「何か」がある。それでいて、明晰性はもちろんのこと、異物を焼き払うために、闘争し続けた。もっと予感的で白昼夢（むろん、それは現実だ。我々が認識していない現実だ、だからシュルレアリストたちが共産党と活動を共にしようと言ったときに、自分以外はシュルレアリストなんかいないとブルトンに言ったのだろう。）に似た「気づき」と「覚醒」、こういってよければ、恐らくアクィナスがあの神学大全を書くのをやめた理由との相関性（つまり、意味で説明することとの限界を感じ、その意味から脱出するために、アルトーが目論んだこと）を私は感じる。アルトーにとってはもう目の前に浮かんでいるものが、異物や声、他者たち、微粒子、卑しいものども（悪魔）が四六時中、絶えず混入しつづけ、干渉しつづけ、それに逆らうために、歩行しながらこの世を告発し、ありとあらゆる矛盾を絡まった糸を解すかのように、それだけ、それだけ、本当にそれだけを繰り返す、だが何者にも形容しがたく、圧倒的事物があますところなく実在性という薄っぺらな錯誤している現実と、我々を戦かせ、在ることは即ち牢獄だと、在ってはならないと、無論のことこれはグノーシス主義の影響もみてとれる。そこから脱出する術は、膨大なカイエを書くか、オカルティズムにのめり込むことしかなかった。（だからある時期、オカルトに言及した『存在の新たなる啓示』を書いたのだろう。だが、それはさすがに間違ってっていることにすぐに気づいた。）アルトーが見えているものは誰も気づきもしないが、変わらずそこにあるもの、それを排除し、闘争し、告発するしかなかった。最後の手段としての『神の裁きと訣別するために』、キリストの否定、ゴルゴタを体験した。アルトーの後期はつまり、全体として機能するようなもの（器官なき身体）として書かれている、したがって、文節（器官）はあまり意味をなさないのだ、全体に焦点を当てなければならない（或いは文節自体は神の微菌というべきだ。全体は無論のことアルトー的生である。）途方もない壮絶な闘争の記録なのである。だから、仮にこれをすべて理解出来るならば（そんな人間は恐らくこの世にいないでしょう。）このカイエという記録以外に残ったものが浮き出てきて（それはひとつの真理と言えるかもしれない）、もしかしたら私も腑に落ちることがあるかもしれない、自分にも気付きがきて、覚醒して、浸透してくるのかもしれないとして、私は膨大な記録である『イヴリーの手帖』とあまりに浅はかな自分とも対峙しつつ、無謀な試みに挑戦している。

さて、スコラ学者である、ファーヴァーシャームのシモンは普遍的な論理的文法を構成した。端的に言うと、実体、性質、行為といった、対象の範疇的特性と認識的知性が、理解形容によって写し取られ、それに対応した「表示様態」において言語的に表現されるものである以上、存在や思考と同様に、あらゆる言語の根底には同一の論理的、文法的構造が存すると考えた。そのため、形而上学、論理学、文法学はそれぞれの形態において相互に鏡のように照らしあうのだと。なるほどね。形而上学というのはそもそも存在を取り扱うものであり、アルトーは独自の文法と特異性を用いてそこから逸脱したのだから、それは類まれな生だ。つまり、アルトーは概念実在論者をすべてなぎ倒したということになる。古代の言語やラテン語、フランス語、造語やデッサンを駆使して、ある種象形文字のように提示するアルトーの文体は、生そのものと言っていいような熱量と気概、何千、何万もの思念やその切れ端、重圧を背負い、聖パトリックの杖を用いて神の精神も現実的な実在性（実在性？いや、むしろ、新たなアクチュアリテをつくりだしたのだ。）を無価値なものとし、歴史から切り離し、存在論的連関を燃やした。卑しいものどもを燃やし尽くせ！「レポルタティオ」の一文にもあったように、神が自らを憎むように命じることさえあり得るのだから、従順に従う人間の意志はそもそも幸福を拒絶している。スコラ学者、ドゥンス・スコトゥスの形相的区別の理論に関しては、ただ矛盾律によって要請されるときに限って、複数の存在論的形而上学が認められるとされるが、そもそも我々の知性では神に固有な概念が自然発生的には起こり得ない以上、アルトーの神の否定と回心の目まぐるしい連続性はスコトゥスの言う感覚表象、事物の可知的形態が適合し、攪拌した結果、潜在的にアルトーがもっている概念を呼び覚ました稀有な例と言えるだろう。そう、アルトーは自ら生き延びるために書いたということは言うまでもなく、アルトーは「歴史的」にして「超歴史的」な、「真理」と「誤診」、「一致」と「不一致」、「現実」と「非現実」、まさしく我々が夢を見るように反被造物存在者として君臨するのだ。（そしてこれは論理でも文法でもなく、あらゆる方式や意識の外にあるものを捉えるのだから。）ローマ化した、コロッサス、洗礼を受けた、あるいはユダヤ化した、ギリシャ化した、ローマ、ロゴス、ギリシャ、ウェルギリウス、エウクリデース、ガイウス、アリストテレス、アクィナス、キリストのあるところ随所に、カトリック的性質、十字軍、インド或いは不純、混乱、イスラム、モーゼ、聖パウロ、形式尊重、エジプト的、機械信仰の宿命、サイクル的過程、完全な歴史、観察の保存、記録、詩句、略称、感動の保存、詩歌、そのものが「かれ」になり、そのものが「われ」になる、無際限の仮設、「神たるものがいるとするならば、キリストでは断じてなく、外部にいる、よって神の証明は不可能であるし、この世界は地上でも地獄でも天空でもない、ただ眼前に存在しているだけだ。」

血と肉と身体、これらの接近は魔術的錯乱の最中で、決して強迫観念などではなく、知性がスコトゥスのいう一性の概念のもとにあるとするならば、神と被造物との間にある多数の概念化を無為なるものとするのだ。存在概念は本来であれば知性で受け取れるものではない、したがって光臨さながら、類比的に受け止めて、照射され、いかなる宗教裁判、異端審問があろうとも、キリストを撥ね退け、「私はゴルゴタにいたことを覚えている。」と主張するのである。ポール・テヴナン、アルチュール・アダモフ、ロジェ・ブラン、アンリ・パリゾーに宛てて、電気ショック療法により明白な錯乱があらわれているのは確かだとアルトーは主張している、そして宗教的錯乱の最中にいたことはいたのだ。「キリストに改宗したなどと愚かなことを言ってしまった、キリストこそ私が常に最も嫌悪してきたものだった。」

また、ロンサールの「悪魔賛歌」などを読んだ影響からなのか、しばしばルシフェルを含む堕天使や悪魔どもに言及し、怒りを露わにしている。人間は自分自身が存在（エートル）になるために生きることをやめた。伝達の崩壊と二元論の現実化の曖昧さ、神秘めいたルイス・キャロルの翻案とトナリテ、身体の炸裂と新しい身体を見出すこと、それらの対位法としての精神の炸裂、社会主義、ブルジョワ、アナーキスト、ポエジーの嫌悪、ショックを受けたために苦しい喘ぎを絞り出し、ショックを受けたものをこの叫びの中に沈め、この叫びによって生を引き離さんことを。ヴィユー・コロンビエ座での『アルトー・モモのほんとうの話』、あの狂気の波紋と叫び、熱気、絶叫、呪いの、曇りなき、冒涜の、刃、破片、ちり紙、聴衆へと響く……そして、アルトーは新しい言語の創出に全神経を注ぐのだ。このことが彼の精神錯乱の典型的要素の一つなどと罵る医者がいたが、解読している限りでは実際のところ錯乱などはほとんど見られない。それは私の訳業を読んでもらえば明らかだろう。むしろ、物凄く高度で論理的で明晰と言えるものだ。

あまりにも「もの」が見えすぎるというのは、すなわち「不可触と不可知」の渦の中で、感覚出来得るということ、精神たる欺瞞を超えて、我々が本来息すべき場所であるということと、すべての存在者を超越しているということ、このもろもろの絶対否定を通じた、云わば肯定は理性の諸原理から出発するものではない。イザヤは敗北しつつも抵抗に加わり、ふたたび破滅を予言した、もう一つの破滅と、私自身の破滅とを、そしてもうひとつの肉体を。ポエジーとある種の狂気と錯乱（ドゥンス・スコトゥスの聖母マリアの解釈のような、キリストの母であり子でもあるという狂気、それは本当に正気か？）とローブ（修辞学的文彩）の超越的思考の頂点に達すること、『神学大全』ほど緻密で理路整然とした絶対的に明晰な書物が許されまいとするならば、アルトー以外に我々は一体何に問いかけるべきか。アルトーが見出したものは実に膨大で、そう、本質的に自然の中の何かだった、ひとつの器官、人間とは存在ではないのだから、精神はなく「デミウルゴス」として不法侵入として盗まれた身体の数々……魔術にかかるとひっきりなしに神に干渉される。

覚えてない、何も、青空、もない、雲、もない、太陽、だけが、ある

ヨブもペトロもルカもマルコもマタイも血の組織が生まれることをただただ唖然と見つめ、神はひとつの病気であり創造されたものと創造されてないもののひとつの深淵、神の微菌を世界にばらまくことによって！この激しい筆圧と火花、整備

された感覚、才能という感覚、すべてから訣別した後で、アルトーの異化の概念、あらゆる科学、あらゆる宗教、あらゆる芸術を滅ぼしたまえ！　実際にそうだった、貫かれた言語は解剖学的に、そう、あの連中に分からせるためには全員を殺さねばなるまいと。現実を変えること、身体を再創造し、再編成するためだけだということに気づかないすべての臆病な存在を私は嫌悪し、排除する……存在の理由なんぞどこにもない。絶叫、不意の声、悲鳴、中断、最後の審判、生き急げ、時は満ちた、すべてを疑問視するために、あらゆる宗教への侮蔑、糞をたれる、不在の空虚の象徴、不可避の否定性を伴った肯定、強烈な死の否定、アルトーには自殺の概念はなかった、何故なら、我々はとっくにもう自殺しているからだ。敢えて列挙するならば、アリストテレスの「デュミナス」、ストア哲学の「プネウマ」、「ブラーナ」ないしは「ソーマ」によって説明される原初の概念とは完全に袂を分かち、ニュートンの弟子たちやライプニッツ、マッハ、ダランベールと続きはするが、こうしたアプリオリな用法は当然人間の手には負えず、ある観点から見れば、形而上学を追いかけつつ、乗りこなすことが出来ない結果としての反＝形而上学的なヴィザージュを帯びるようにも見受けられる。魂が可滅的であるとほざいたグレゴリオスに、アリストテレスは真に存在するものが分離していて、それだけが不滅であり、不死であると説いたが、分離しているというのは一体どういうわけなのか？　つまり神における存在者と被造物における存在者の属性二つによる概念であるようにも思われるが、それは一者、固有の概念によって図られるように思われる、すなわちそれが一性の基礎だ。白と黒の相違の認識を通じての共通感覚のこと？　いずれにせよ、その種の概念はまったく知られていないか、全体的に達せられているかのいずれかである。「見える」ならば、到達しているであろうし、「見えない」ならば、そもそもないか、認識の錯誤の論証となる。そう、悪魔の手先たちすべてに暴行を働くことに、神という不器用な観念、あからさまな出産と堕胎（性なきマリア）、作品の外部へと、決して自身の身体へと干渉しないように、アルトー自身が抱く電気と雷鳴と響きと怒りの力によって、屈服させる。

「言語が去って一〇年が過ぎた。
　その代わり入ってきたのは
　あの大気の中の雷鳴だ。
　　　あの雷だ。
　それゆえに私は言う、虐げられた言語とは雷であり、私は
それを今度は呼吸という人間的事象の中へやって来させたのだ。
鉛筆による私の打撃が紙の上でその雷を認証しているのだ、と。
　それから、打撃だ！
いかにして？
一つの打撃によって
言語の
反＝論理的な
反＝哲学的な
反＝知的な
反＝弁証法的な打撃によって
ぎゅっと押し付けた私の黒い鉛筆による一撃で

　それだけのこと。」

一度はエートルの下に、滑液の暗い火床の上で存在が形をなし、そして崩れゆくさまを呆然と見つめながら、ただただ立ちつくし、それらは当然外部にいて、意味の外にあるもの、名指され、誇示され、実践され、エクリチュールをぎりぎりまでに削ぎ落し、危ういバランスの中で、アルトー的生を主張すること。そう、存在しない存在の原子たちを爆撃するために、放射体それによって、或いは異端審問たる忌み嫌う存在の諸世紀、埋葬された司祭たち、偽の存在性、天使の実在論を巡りつつ唯物論かつ原始的スタイルを用いて、存在にメスを入れ、一刀両断し、アルトーは苦悩に満ちている様を、四肢欠損のごとく主張する。毒を盛られ、監禁され、電気ショックを浴びせられ、ベッドに縛りつけられ、拘束衣を着させられ、こんなことはもううんざりなのだと。

父にして母である男女混合錯乱の二重の性なき（ヘリオガバ

ルスたる旋回）を辿り、二重の器官を示唆し、物質や性、存在を責め苛むのだ。来たるべき世紀に向けて、いずれ出てくるであろう新たなる存在たる啓示の約束、観念の未来、悪魔どもの策略、未来の言語の創出と注解、こう言ってよければ、その言語がもたらす想像を超え、意味を超えた、言葉による一撃、バラバラに器官は空中散布され、私たる私は転がるだけ転げ回り、新しい身体を受肉した。記憶の派生である造語の断片、器官、埋葬された天使たちもしくは悪魔たち、人間を再構成することなど。アルトーの思考不能性を転用し、ある種の極限にある「生の場所」で、生は決して止められはしないのであるから、ある文法（それは特殊領域における、身振り、生の場所で行われる魔術的秘技である）を創出し、突き射すこと、表面的な記憶はただ邪魔なだけなのだから……この混沌は理性と非理性の狭間で、レトリックを並立の板に踏みならし、淫売を奴らに擦りつける。まさに生命を保ったまま、終末論的、信仰的、救済論的、黙示録的なもの、最後の審判をめぐったアルトーのすべてのテクストを考えて頂きたいのだが、これは神の審判ときっぱりと縁を切るためなのだから。人間の、そう「神の手で製造されるのを何世紀も何世紀も待っている間に……」アルトーにふさわしい神学などないし、存在論も当然ない、来たるべき世紀のひとつの実体的な核（コア）を抉り出すこと、言語そのものの核（コア）を、他者たちや死者たちが懐胎なしにそこから生まれつつあるのを眺望するのだ、分離不可能、切語的、不可能性を求める一連のテクストは化け物じみており、生たる目論見である余白を埋めつつエクリチュールは叫びや発狂と共に大気に震撼する。人間の懇願の血液すべてと四肢、髄液を飲み干すことに存するもの、責め苛まれているもののところに世界の外から存するものはやってきてその者が何に苦しんでいるのか教えてやるために、身を投げ出す崇高たるものの囁き、外界への分離と廃棄、マリア＝母、キリスト＝父たる全なるものの完膚なきまでの憎悪、アルトーは呪詛しつつこの世のすべてを告発するのだ。

「私ことアントナン・アルトーは、私の息子であり、私の父であり、私の母であり、そして私である。」

アルトーを激昂させた相矛盾し合う身振りの数々、差異、苦悶、喘ぎ、乖離、すべての事象とすべての現象を私は示すことになるだろう。その予感と閃き、覚醒を。ディオニュシオス・アレオパギテスは「神的なものにおいて否定は真である。他方肯定は合致しない。」と主張する。あるものが神のうちに適合しない限りで借定すること、つまり、制限された神の完全性を意味表示し、それゆえ完全性の根拠からその名によって名指され、それは固有に語られるということはなく、転移的に語られる。つまり、ディオニュシオス曰く天使は新たに何か知ることはないし、介在することはない、知性実体、ないし天使、ないし離存的霊魂は現実の場所には存在せず、もう一つの世界にある、このことはアルトーの射程と酷似しているようにも思われる。アルガゼルは叡智体のすべて、および質料をもたないものすべては永遠であると主張することで誤りを犯した。土星、水星、火と水は、異なる時間、異なる場所で生成し、分裂し、終末論を用いてもそれらは存続する、悪魔はいつも眼前にいた。アルトーは例外として、多くの尼僧は愛する告解僧の顔を借りるという悪魔の悪だくみに屈してしまう。燃える炎について打ち明け、ジャンヌ・ボティエール、ル・ケノワの修道女は聡明でもあり、思慮に満ちているにも関わらず、ひとときも眠ることのない悪魔の誘惑に干渉され続けることになった。悪魔とはアルトー的身体の真の敵であることは言うまでもなく、キリストを否定し、偶像崇拝などという下らない儀式を真っ向から拒絶し、死と復活の問いを揺るぎなき「出来事」として、自身を磔刑に処せられたもの、身体の場所は常にゴルゴタにあるということ、生殖と永劫回帰に苛まれる、永遠的悪夢の問いに直結し、人類などという観念はとっくに捨て去ってしまっている。

私は問う、一個の身体というものは、あらゆる言語や概念を排他し、実在性を構成する諸力を無化し、すべてに抗った結果残る、崇高なる残骸であるということを。

つまりは、アルトーの書いた膨大なカイエがひとつの非人間的で、反解剖学的（反西洋医学的）な化け物じみた力能であり、存在を出来事のひとつとして捉えるのでもなく、哲学的な射程に捉えるわけでもなく、拒絶し、闘争し、実在性そのものの神話を破壊しにきたのがアルトーなのだ。惜しくも向こう側へと漂流してしまった、ヘルダーリンやニーチェやビュヒュナーを超えて、一個の身体の事物的構成を超えて、血は沸騰し、生は尽き果てることなく、アルトー的言語は独立し、誇示し続ける。現実の構成をやり遂げること、精神と物質は既に語りつくされ、残存したものが空白となるのであるから、言語的構成を突き破り、超越的アプリオリをアルトー的生と共に体感すること、意識の介在なしに当然のようにそれはそこに在るであろう。殆ど存在することが不可能な次元と共に、外部から飛来するウイルスたる言語の土壌に、一元の、および二元の最たるものである深さ、記述不可能な振動、エレクトル、雷鳴と閃き、失墜した科学は丸裸にされ、すべてが焼き尽くされるのだ！「ヴァン・ゴッホのタブローの中には亡霊はいない、ドラマもなければ、主題もない、そして私は対象もないとすら言うだろう、というのもモチーフとは一体何なのか？」死の表象に、憑依されれ、乗っ取られ、私は私とは決して言えないだろうし、この次元、この眩さ、震撼する病もまたそこに、魂の呪縛、アルトーが繰り返し告発するオカルト的ネットワーク、エートルと大気、微粒子、息遣い、人々の、様々な、うようよと蠢き、分裂的倒錯的心理の地図、横断する、呆然自失とする天才たる解明、纏わりつく未生の記憶を喰らい続け、アルトーは昼も夜も問わず、超人的な力でそれらを告発し続けたのだ！時代のアクチュアリテの中で、そのことを徹底的な意志を貫き通すものとして、さらに本質的な困難（あの、馬鹿げたフェルディエール訴訟？）、一種の苛酷さへとアルトーは直面することになったのだ。身体を解体することを拒み、もう一度更なるカオスと身を挺するか？そんなことではなく、独立した言葉、圧倒的な、存在すべてを拒んでそこに残るもの、それぞれのイマージュの中たる、内的砂漠の広がりを見すえながらもそこにある超越的構造物と造語、意味を広げるが、意味はなく、超意味でなく、非＝意味を、オブセッションもなく、貫き通す。このような稀有な例が今までにあったのか？アルトーのメキシコのタラウマラの旅（ペヨーテの儀式）、チベット、バリ島の演劇への言及、ダブリンでの騒動と拘束、ル・アーヴル、カトルマール、サン＝タンヌの病院の独房、ロデーズの病院へと……神話の多神教的コスモスを壊していきながら、何かひとつの揺るぎなき辿りつくものを目指して闘争する。それに、アンビヴァレンシャルな力によって常に新しい可能性の開拓と同時に不可能性を照らしだしつつ、本質的な革命者として（それは現実を再構築すること。人間そのものの本質を変えること。それがアルトーの革命の照準だ。）自分自身の正気と狂気の危機への侵入との闘いにおいて、ラディカルなものを徹底的に排他しながら、言葉が不定形であり未明であることを明示しつつ、苛烈さや滅び、退廃を、招き続けるように生はそこに留まり続けたのだから。ヴェクトル間のダイナミズム？自己と多数の他者との裂け目をどのような形で提示したか？不可視のもの、地獄の季節の果てにある、あの動かない鳥たち、孤立者、無自覚、無意識的な可能性と不可能性を能動化し、否定すべきものと新たに創出すべきもの（それは存在すべてを忌み嫌った後で残った確たる残骸だ。）とが相互依拠しつつの闘争、私は不変と言うべきではないと思っている。常にそれは超歴史的に進化し続け、今も現存しているに違いないからだ。あらゆる実在性を内包したドグマと予兆性に満ちているもの、現在性を、そうくっきりと明瞭に捉え、光臨するのだから。フラグメント＝断片化となる、あの圧倒的な熱量で書かれた『手先と責苦』、それは何ものも許されると同時に何ものも許されず開示され、あらゆるものを解放し、あらゆるものを促進させ、時の自動性に委ねることでも、自発性という自動性に身を委ねることでもなく、巡りゆくこのもうひとつのあるヴィジョンとエートル的解体、破片の海への身体の浸食、この目覚めが、空虚でもなく、フラグメントを再び再構築し、我々に訴えかけるのだから。創造への無限の照らしあい、何が正しいのか？何も答えるべきではないと自戒に囚われつつ我々は発見する、多重構造、オスティナートの体験性、あのゴルゴタの光景をどこまでも揺るぎなき記憶として細部に映り込ませようとするのだ。現実の秩序を解体、破壊、侵す暴力としての行為、自らの内なる至高のフラジルな断面の美しさ、悪魔との闘争と、圧倒的な熱量をアナロジカルに対比させ、ひとつの言語の形を感性のメスで切り裂いてゆく先鋭的で、全てを無化する暗流のような日々、リリシズムは極限までに排他され、空間展開、異次元、反転して超現実、ロデーズを含む数々の病院での監禁でほぼ帰らざる人となりかねなかったが、そこからの奇跡的な帰還、言語を外部に、抹消神経と血脈を反組織的、反構成的に、めくるめく光景、共時の声と原生、エンペドクレスの死よ、パトモス島のヨハネよ、黙示録はアルトー的生によって今も書き綴られている、すべての言葉を奪われ、ひとり寂しく、おのれの闇の中にむなしくあるものたちよ、その力は唯一無二の思考と身体、同じく刻みつけられた印、稲妻と波とを待ちながら、あなたはどこにも見出されないだろう、時としてよぎってくる一条の光、ひとつの声の現前、現（うつつ）の忌まわしさと禍々しさを露わにしながら、死者たちを連なって、アントナン・アルトーはやってくる。今わたしはひとつの世界の目覚めについて語ろうとしている、ひとつの目覚めと波紋と広がり、未分化の暗闇に突き入ろうとし、すべてを破壊した後で、ひとつの揺るぎなき崇高なる残骸は、不明の、未侵入の、領域の、いまわしさの海を遠く離れ、一個のわたしはとりつくされ、すでに私は始めてしまっている、判然とはしない身振り、あらゆる揺らめき果てなき目覚めへのゆるい歩みと思考の速度、おとずれへと向かう、そこに時間や空間や存在から迫害された、唯一無二の一個の揺るぎなき身体を見出すのだ。何故なのか問いは空中に消え去り、ただ呆然として、またそうした一瞬の在り様を解体し拒絶し錯乱させ破壊する残酷を当たり前のものとして、私はそれを受け入れる時が来るだろう。この苛酷な闘いは圧倒的な暴力に晒されつつも歪みはなく、危機や困難に接しつつも、アルトーは自らに問う。これは同時に見事なまでの生の発現である。ユイスマンスの『彼方』のことを、あのルイス・キャロルの翻案、そして、オブセッションと帰来、この異形を生み出している様、我々の意識をひび割らせて、破片のまま組織化されたエスパスを創出しつつも破壊していく。さらに未知へ、さらに苛烈へ、さらに内奥へ、アルトーの圧倒的な思考の速度は連なっていく、今はまだ前夜にすぎない。

超越たる独特な文体の異化的解釈（私はそれが自覚的であって、探求的であったことを疑わない。重要な脱「構造主義」者として君臨するアルトー）これがいかに時代を先駆けた変革だったであろうか、これこそが特有の時間なのであって、アルトーの才能の偉大さは、未知なるものへの開拓が切り開かれ、ある意味で多極化し、多様化しながら、これから現れる未知なる土地へと伝染され（あの言語の、特有の、インドネシア語、ラテン語、ドイツ語、混成語、etc. etc. そうアルトーの叫びそのもの。）空間は破裂し、直立し不動のままで生と直面していく。これは偶像破壊の一環なのか、或いは無秩序への参入なのか、黒魔術的ネットワークの時代の予兆をなすものに他ならず、暗く長い朝の余韻から再びアルトーと共に時は開かれる。生の苛烈さと非ラディカリズムの行為者は憑依してひとつの責めとしてこれを承認せざるを得ない。禍々しい身体のひとつの可能性（器官なき身体）は反キリストの探求と存在の否定、秩序、美学、構成たるものを拒絶し、世界の再創造の構成の局面を担いつつ、我々に絶対的な問いを投げかける。もうひとつはこう言ってしまえば簡単だが、狂気や脱我の法則、集合的（マス）の解放の追及、アンチロゴス、アナキズムそのものともいえる訴え、時代のカオスに関わろうとする時、その肢体は新しい思想や形式を照らし合わせながら、拒みつつも、独自の言語を会得するために（もっともそれは読解不可能だ）、無時間性の中で唯一無二のものとして、生じる。ディスクールの創出をかけた、或いはそれが成り立つための歴史的断面と行為の危機の生気、本質的には世界の再構成を成し遂げたといっても過言ではない、膨大なカイエ、既に世界は閉塞的なものにすぎなくなっていくという預言、アルトーは悪魔と闘争しつつ圧倒的に明晰な思考の速度とともに、そして、世界から独歩して、根本的、抜本的に創造的混沌の中で生を変革せざるを得なくなったのだ。そのことは、未存在の、いまだ思考の不可能性の過激な現前、未知的であるが身振りの中に生じるレアリテ、しかし、それは多くの異なった別次元の行為者たちのイデオローグ（ガタリの分裂分析的錯綜、思想のドラマツルギー、分裂と統合の空白の地図の列挙を私は鑑みる）の相関、葛藤、身体を通して揺るぎなきひとつのものとしてある観点においては弁証法的に見出される。それはまったく不毛なものなのか？いいや、この新たなる時代の予知的私見、創造的行為の殆どがアルトーの後を追うかのように旋回し、ドゥルーズ、ガタリ、デリダ、ヌーヴォー・ロマン、土方巽、テル・ケル誌、シチュアシオニスト、レトリスト（文字主義）、ウリポ、P.O.L社の前衛文学（エドゥアール・ルヴェ、シャルル・ペネキン、ヴァレール・ノヴァリナ、アントワーヌ・ブーテ）、メディ・ベルハジ・カセム（バディウの弟子の哲学者で、『アルトーと陰謀論』という著作を書いている）として伝染していったのであるから。ある意味では時代的な必然でもあり、グノーシス主義やデミウルゴスの思想を肯定しつつも否定し、あの圧倒的なロトと娘たちのあの背後の火花のように停滞しながらも動き、逆ること、スコラ学を解体し、悪魔と天使、物質と精神、形相と質量、現象と物それ自体の二元論を宣言するものたちはズタボロに晒され、解体され、腐敗し、キリストの肢体はそこでは見世物としての機能しか果たさない。復活はなされるのであろうか？厳密で禁欲的なストア派でさえも、不用意な思想を解体されつつ、罵倒され、ある意味では極限まで拡大することで、思想全体を射程に捉えつつ、比類なき熱情と探求と共に一切が無意味なものとして消え去ってしまうのだから。そして、順応主義者にはテロルを、多くの輝ける偉大な死者たちですらも（アクィナス、スコトゥス、マグヌス、アレオパギテス etc.）乗り越えていくのだから。アルトーにはそう、いまだに現実が息づいているようにも思えるのだ。ピタゴラス学派やエピクロス派、エッセネ派、カタリ派、ストア派がひとつの儀式や戒律を持っていたのと同じようにもうひとつの身体を完全に別な形でアルトーは提示する。いかなる禁断の果実（エデン）であろうと、ピタゴラスが断片の中で記しているように、「世界の存在の幾何学的な、論理的、調和性をもっともはっきりと示すものであり、もっと秩序的なものでありながら、単に現世的なコスモスではなくして、それはつねに、もうひとつの別のコスモスである。」合理的、秩序的なものに反旗を翻し、それぞれの潮流と領域に逆らいつつも超越し、必然と実に見事な具体性をもってアルトーはいずれ未来の果てで完全に理解されるはずだ。(もっともそこにあるのは我々が目撃し、体感している不完全な世界ではない。)それ故に、私は自身を破壊し、名もなきある神話を朗読し、病んだ身体の無気力ぶりを晒しつつ、カオスと細部の錯乱化へと参与することで実質を喪失させ、あの『新たなる存在の啓示』のような別次元の実在性(浄化し、純化し、悪しきものどもを滅ぼす)が息づくことを懇願するが、私はそれを見たこともあるし、生まれる前の感覚や予感として知ってはいるが、実行する術を何も持たない。ただ、解体すること、或いは生誕ないし、生成の場であるということではなく、堕胎や来るべき新たなる身体の劇場である以前に、死の力を、凝固させ、猥褻で、不服従な悪魔の手先や淫夢の、邪悪なるものを排他し、中傷し、呪われているこの全体をある主体(バディウ『聖パウロ』ではパウロ。拙論「光学的革命論」ではアルトー)を降臨させ、蘇らせること。「存在たちは一度たりとも自身の身体を持たなかった。」また、あらゆる些事、世迷言、制度の破壊を通しての自己同一性追求の意味合いもまた深く帯びてはいるが、終わりなき破壊作業が、世界の死滅か自己の死滅かという相と位置にあるのであれば、アルトー的生、一個の他者(ランボー)を引き継ぐために、諸事物の底なき底、眼の外科手術、叛乱、視野をぐるぐる変え、天も地もない、攻撃的で人間に似ることによった何かではあるが人間ではないものを復元させること。古代人が永劫的時間性の中でミイラの復活を願ったように、或いはギリシア文明のカタストロフ、イリアス、オデュッセイア、暗黒時代、ヘレニズム文化の終焉を経て、究極的にはすべての存在の無化、破壊を目指すこと、さらに遠くまで未知なる存在たちを切り刻み、傷を結合させ、血が溢れた指先から、染み入ってくるモーゼの受難の物語を。ヤハウェの名もむなしく、もはや、強制力、抑圧力としてしか現存しないこの愚弄な世界に対して大いなる未知なるものの一撃を誘発し、そのような生こそがひとつの揺るぎなき使命、それがまさしく生きることに他ならない。内乱し分裂化しつつも洗練された唯一無二のロゴスを読解し、そう潜在的な闘いを促すこと、そして、この私の、私の血液で書かれた言語こそが光を照らしだすための欲動であり情動でなり得るならば。文体を極限まで鋭く突き刺し（突き射し）洗練させるか、そうでなければすべてを捨てた後に残存する「結晶」にだけ、唯一自らの血液をばら撒きこの空虚な世界に告発することが出来るならば……どんなに喜ばしいことだろうか……。アルトーの後期の作品の数々、最も重要なものは、後年の『イヴリーの手帖』と『カイエ 1947-1948』、『手先と責苦』、『ヴァン・ゴッホ 社会による自殺者』、『神の裁きと訣別するために』、最も強烈なこれらの言語と共に闘争すること、対峙し共に生きること。異常で想像を絶するこの世界から脱け出し、アルトー的生と身体と共に、まさしく、我々が本来の場所で息づくために。そして、私は静かに歩行を始めるであろう。

JEAN PAULHAN

芳賀正幸

•

LE GRAND JEU

+M

塩見博貞

落合隆志

•

GRAND MERCI À

中島慎治

界外亜由美

鳥屋部文夫

湯本はるか

MI

一野 篤

今井司道

岡崎 凛

外島貴幸

丹月 啓

中澤寿美子

吉岡雅樹

芥辺塵太郎

守屋雄介

ÉPIGRAPHE

•

Rimbaud à Paul Demeny— Charleville, 15 mai 1871

フー
FEU［創刊号］

2023年6月21日 発行

•

責任編集／発行人

原 智広

発行所

合同会社 イーケースティス

東京都府中市浅間町4-2-28

fax 042-362-2858 tel 070-8943-8354

編集

矢田真麻 山本桜子

装丁／本文デザイン

栗原弓弦

印刷／製本

株式会社イニュニック

定価

本体1800円+税

ISBN978-4-9910041-2-4